# Le langage secret des bébés

D1444356

# Le langage secret des bébés

## LE LANGAGE CORPOREL DES TOUT-PETITS

**Sally et Edwin Kiester**

 **Broquet**

97-B, Montée des Bouleaux, Saint-Constant, Qc, Canada, J5A 1A9

Tél. : 450 638-3338 Téléc. : 450 638-4338

Internet : www.broquet.qc.ca Courriel : info@broquet.qc.ca

**Catalogage avant publication de Bibliothèque et Archives nationales du Québec et Bibliothèque et Archives Canada**

Kiester, Sally Valente
    Le langage secret des bébés

    Traduction de: The secret language of babies.

    Comprend un index.

    ISBN  978-2-89654-181-2

    1. Communication non-verbale chez le nourrisson.  2. Communication interpersonnelle chez le nourrisson.  3. Parents et nourrissons.  I. Kiester, Edwin.  II. Titre.

    BF720.C65K5314 2010            155.42'2369            C2010-941074-2

**POUR L'AIDE À LA RÉALISATION DE SON PROGRAMME ÉDITORIAL, L'ÉDITEUR REMERCIE:**
Le gouvernement du Canada par l'entremise du Programme d'aide au développement de l'industrie de l'édition (PADIÉ); la Société de développement des entreprises culturelles (SODEC); l'Association pour l'exportation du livre canadien (AELC).
Le gouvernement du Québec – Programme de crédit d'impôt pour l'édition de livres – Gestion SODEC.

Titre original: *The secret language of babies*

Traduction: Patricia Ross
Révision: Diane Martin
Infographie: Nancy Lépine

Imprimé en Chine
ISBN 978-2-89654-181-2

Crédit photographique: *couverture arrière* © Boris Yankov | istockphoto.com

# Table des matières

Introduction .................................................................. 8

## UN P'TIT SOURIRE

*L'importance du premier sourire* ................................ 18

## LE MIROIR DE L'ÂME

*Communiquer avec votre nouveau-né par les yeux* ........ 26

## J'ÉPIE

*Bébé commence à communiquer visuellement avec le monde* .......... 34

## PLEURER FORT POUR BIEN SE FAIRE COMPRENDRE

*Comment interpréter les pleurs de bébé* .................... 40

## LE VISAGE

*Un guide pour comprendre les expressions du visage de bébé* .......... 52

## DES MAINS ÉPATANTES

*Les mimiques et les mouvements des mains de bébé*

*commencent à avoir une signification* ...................... 62

## LANGAGE DU CORPS 101

*Communication par gestes en aile de moulin à vent*

*et autres mouvements* .......................................... 68

## DANSONS MAINTENANT

*Le rôle des jambes et des pieds dans le langage secret de bébé* .......... 74

9

## NON, C'EST NON !

*Bébé apprend à exprimer ses aversions* ............................................. 80

10

## JOUONS !

*Leçon sur la permanence de l'objet*

*avec «Coucou me voici !» et «J'vais t'attraper !»* ........................... 86

11

## DES MAINS PLEINES DE POUCES

*Bébé invente un jeu pour garder votre attention* .............................. 92

12

## AU-DELÀ DES AREU AREU

*Le vrai sens du babillage international* ............................................ 98

13

## REGARDE LÀ-BAS !

*Bébé exprime ses pensées en montrant du doigt* ............................ 104

14

## UN AUTRE MESSAGE AU BOUT DES DOIGTS

*Bébé fait ses demandes et ses requêtes en montrant du doigt* ............ 110

15

## TU PIGES ?

*Une conversation pointue* ........................................................... 116

16

## HAUT LES MAINS !

*Bébé veut sortir et a besoin de votre aide* ..................................... 122

17

## ME VOIS-TU ENCORE ?

*Comment et pourquoi les bébés mobiles veulent être rassurés* ............ 126

## 18 C'EST QUI, LUI?

*Détecter les premiers signes de la peur des étrangers* .................... 132

## 19 VOTRE PETIT IMITATEUR

*L'importance de l'apprentissage imitatif* .................... 136

## 20 ÇA SUFFIT!

*Comment bébé exprime sa frustration et l'hyperstimulation* .................... 142

## 21 LES JOUETS, C'EST NOUS!

*Des jouets qui favorisent la communication parent-bébé* .................... 148

## 22 AVONS-NOUS ENCORE DU PLAISIR?

*Des jeux qui favorisent l'interaction parent-bébé* .................... 152

## 23 FAIS-MOI SIGNE!

*Enseigner la langue des signes aux bébés : le pour et le contre* .................... 158

## 24 FAISONS CAUSETTE!

*Pourquoi parler à bébé est essentiel à son développement* .................... 166

## 25 LE DERNIER MOT

*Et le premier* .................... 172

*Au sujet des auteurs* .................... 178

*Remerciements* .................... 180

*Bibliographie* .................... 184

*Index* .................... 188

# Introduction

*Les bébés communiquent dès leur naissance. Certains diront qu'ils envoient des messages plus tôt, dès le dégourdissement, période au cours de laquelle la future mère commence à percevoir les mouvements du bébé dans son ventre. Bien sûr, ces messages pré- ou post-nataux ne sont pas composés de mots que l'on trouve dans le dictionnaire. Votre bébé apprend à un très jeune âge à utiliser les mouvements de son corps comme moyen de communication. Ce langage du corps est utilisé pour exprimer des émotions; pour indiquer ce que bébé aime ou veut; pour répondre oui ou non; pour faire savoir qu'il est fatigué, est mouillé, a faim ou a froid; bref, pour transmettre ce qui se passe dans sa petite tête. En effet, votre bébé, sans prononcer un seul mot, est capable de vous dire ce qu'il veut que vous fassiez et les résultats qu'il attend. S'exprimer sans paroles est le langage secret des bébés.*

Vous avez peut-être déjà assisté à ce type de communication non verbale à table au petit déjeuner. Julien ou Olivia est dans sa chaise haute et vient de boire jusqu'à la dernière goutte son jus du matin. Votre bébé vous tend la tasse vide et émet un fervent «euh-euh-euh». Les syllabes saccadées ne signifient pas grand-chose, mais le geste, lui, envoie un message que seuls les parents les plus distraits pourraient rater: «Encore du jus! Encore du jus!» Les messages de bébé ne sont pas tous aussi simples à déchiffrer, cependant. Un examen des moyens de communication nombreux et variés qu'utilise un nourrisson peut vous aider à interpréter ce «langage secret» de façon cohérente et précise – pour un bébé content et un parent confiant.

## Faire passer le message

En vous tendant sa tasse de jus, Julien ou Olivia fait la démonstration de sa compréhension naissante du processus de la communication humaine. Bébé vous fait une déclaration, souvent une demande énergique, et s'attend à ce que vous lui répondiez et preniez des mesures pour satisfaire sa demande. La demande, bien sûr, n'est pas formulée en mots, mais est exprimée par des mouvements, des mimiques, soit le langage du corps, et est souvent accompagnée de gloussements ou de pleurs. C'est le début d'un dialogue de requêtes-réponses-actions que votre enfant finira par utiliser avec aisance des dizaines de fois chaque jour de sa vie. Déjà, bébé Julien, malgré son jeune âge, comprend parfaitement que la communication est bidirectionnelle: «J'envoie aux adultes un message, ils le reçoivent, puis ils font (ou ne font pas) ce que je veux qu'ils fassent. Je peux générer leurs actions.»

# Le père fondateur

Une grande part de ce que nous savons sur le langage secret des bébés et sur leur façon de penser, d'apprendre et de communiquer repose sur les enseignements de Jean Piaget (1896-1980). Bien que certaines de ses idées aient été modifiées ou annulées par des recherches plus récentes, ce biologiste et psychologue suisse est encore considéré comme le père de la psychologie du développement de l'enfant et en est la figure la plus influente. Avant Piaget, des scientifiques, inspirés par Sigmund Freud, cherchaient à comprendre les enfants en les regardant à rebours, en tant qu'adultes. Piaget a retourné l'équation à l'envers et a étudié le développement précoce des enfants afin de percevoir leur façon de progresser vers l'âge adulte.

Lui-même père de famille, Piaget a commencé par observer attentivement et enregistrer le comportement de ses trois enfants, de la naissance à 18 mois. Il a reconnu que les enfants n'étaient pas simplement de petits adultes ou des adultes en formation, mais qu'ils pensaient et se comportaient différemment des adultes. En tant que biologiste, il a expliqué comment la croissance physique intervenait dans le développement et a notamment décrit les changements survenant dans le cerveau lui-même. Mais il a aussi détaillé les phénomènes psychiques, sociaux et affectifs liés au développement.

Piaget a décrit le développement de l'enfant en quatre stades et sous-stades, développement qui atteint une véritable maturation vers l'âge de 15 ans. C'est cette théorie des « stades » qui a été la plus remise en question. Piaget estimait que les enfants commençaient leur vie pratiquement à zéro. Il croyait, par exemple, qu'avant l'âge de sept mois, les sens des enfants étaient indé-pendants. Les nourrissons ne pouvaient pas faire le lien entre ce qu'ils voyaient et ce qu'ils touchaient ou entendaient. Les scientifiques savent maintenant que les bébés peuvent unifier ce qu'ils perçoivent de leurs différents sens dans les premières heures de la vie. En outre, Piaget croyait que les bébés n'étaient pas capables d'imiter les expressions des adultes avant l'âge de quatre mois. On sait maintenant qu'ils peuvent reproduire les expressions du visage dès après les 42 premières minutes de la vie.

Malgré les progrès réalisés depuis son temps, les idées de Piaget demeurent le fondement de l'étude du développement de l'enfant et de la petite enfance, en particulier sa théorie selon laquelle les enfants apprennent en jouant.

Bien que montrer du doigt soit une attitude que désapprouve la bienséance, le fait est qu'il s'agit d'un geste de communication de base utilisé fréquemment par les enfants et les adultes ; ce moyen de communication est vital, en particulier pour bébé. Un bébé alerte de neuf mois est curieux et fureteur ; il cherche à comprendre le monde mystérieux qui l'entoure, mais n'est pas encore assez mobile pour mener ses explorations seul. La plupart des choses qui attisent la curiosité de Julien ou d'Olivia et que bébé veut toucher, sentir, frotter, goûter, étreindre ou caresser sont désespérément hors de sa portée. La seule façon de se rapprocher de ces objets fascinants est de tendre un index potelé dans leur direction, d'attirer l'attention de maman par des mouvements ou des bruits et d'attendre qu'elle comprenne. « Tu veux le camion ? Non. Tu veux le hochet ? Non. Oh, le nounours. Bien sûr, le nounours. Voici, ma chérie. Voici ton nounours. » Mission accomplie. Et montrer du doigt exprimera aussi d'autres messages, à mesure que bébé mûrira et aura des besoins plus complexes.

Que les bébés puissent s'exprimer avant de pouvoir former des mots fait partie d'une compréhension nouvelle et passionnante du développement du nourrisson. Avant les années 1970, les experts soutenaient que les bébés ne pouvaient pas communiquer ni même penser (selon la définition que les adultes se font du terme) avant de pouvoir utiliser des noms et des verbes comme tout le monde. Lorsque les bébés se déplaçaient d'une certaine façon ou semblaient sourire, l'on considérait qu'il s'agissait d'une simple réponse conditionnée ou d'un réflexe comme celui de téter chez le nourrisson. Le sens commun des parents et leur expérience pratique auprès de leurs bébés semblaient leur dire tout le contraire, mais ces parents n'avaient souvent pas confiance en leurs propres observations. « Je jure qu'il m'a souri, disait la mère d'un bébé de trois semaines, mais je sais que ça ne se peut pas. »

À une certaine époque, bébé Olivia était considérée comme un être vide de toute connaissance (selon le concept de la *tabula rasa*) que les parents, le milieu et la société allaient façonner afin qu'elle acquière sa personnalité et son tempérament. Bébé Olivia elle-même était une parfaite ignorante dans le sens littéral du terme. Elle ne pouvait même pas bouger avec cohérence ! Avant l'âge de quatre mois, elle n'était pas capable de faire des liens entre ses propres sens ; les parents s'étaient laissé dire que les sens du toucher, de l'odorat, de l'ouïe, de la vue et du goût fonctionnaient tous indépendamment les uns des autres. Lorsque Olivia était prise et tenue serrée, lorsque quelqu'un lui murmurait des chansons apaisantes à l'oreille, elle ne se rendait pas compte que les mains câlines et chaleureuses qu'elle sentait, le visage aimant qu'elle voyait et les « lalala » mélodieux qu'elle entendait provenaient tous de la même personne. Ils auraient pu provenir de trois sources différentes. En fait, selon la science du développement de l'époque, Olivia, à ce très jeune âge, ne savait même pas qu'elle était une personne. Même ses menottes potelées, lorsqu'elles croisaient son champ de vision, étaient perçues comme étant seulement deux objets volants non identifiés. Ces objets pouvaient appartenir à n'importe quoi ou à n'importe qui.

Ce point de vue sur la petite enfance (jadis largement accepté et maintenant rejeté par la plupart des experts) sous-estimait grandement les bébés, selon Andrew Meltzoff, de l'Université de Washington. Meltzoff, éminent scientifique de notoriété internationale dont les recherches ont renversé l'école de pensée précédente, est le coauteur, avec Alison Gopnik et Patricia Kuhl, de *The Scientist in the Crib*. Dans ce travail de pionnier, il explique que les bébés sont des êtres pensants et curieux dès le moment de leur naissance et qu'ils cherchent immédiatement à savoir où ils se situent dans cette « confusion détonante », expression employée par le philosophe William James pour nommer le monde du nouveau-né. Ils sont, en effet, conscients de leur environnement et en savent instinctivement beaucoup plus sur eux-mêmes que ce que l'on avait d'abord cru. Les nourrissons peuvent sentir leur corps fonctionner ; ils le démontrent en tournant la tête pour localiser un bruit soudain. Loin d'être des créatures incultes qu'il nous faut façonner et modeler, les bébés remplissent leur propre ardoise et guident même nos mains lorsque nous essayons d'y ajouter de nouvelles données. Et, même si vos enfants ne sont plus considérés comme des « pages blanches » à remplir, n'allez pas croire que vos responsabilités s'en trouvent réduites. Au contraire, les découvertes de Meltzoff encouragent les parents d'aujourd'hui à être aussi attentifs que possible au début de la vie ; même un tout nouveau-né, nous le savons maintenant, tentera de communiquer avec vous, et grâce à vous, pour comprendre son monde.

Notre meilleure compréhension du développement de l'enfant nous vient de nombreuses sources, notamment de la biologie. Les bébés humains demeurent plus longtemps sans défense et prennent plus de temps à atteindre leur maturité que n'importe lequel de leurs collègues primates. Mais, à d'autres égards, ils sont remarquablement similaires. Ils montrent le même attachement mère-enfant que les singes – et que les oies. Leur cerveau se développe de la même façon que chez les chimpanzés et d'autres grands singes, bien que,

là aussi, les humains grandissent à un rythme plus progressif et prennent plus de temps à mûrir.

L'anthropologie nous renseigne aussi sur le développement des bébés. On a observé que, dans les cultures nombreuses et variées qui s'épanouissent dans le monde entier, tous les bébés adoptent des comportements particuliers et atteignent les étapes importantes du développement au même rythme. Ils commencent à s'asseoir, à babiller, à pointer le doigt vers des objets intéressants et à prononcer leurs premiers mots vers le même âge, que ce soit en Amazonie, dans l'Himalaya, en Espagne ou à Saratoga.

# Les accents demeurent

Bien que les bébés ne puissent pas parler à six mois, ils savent déjà bien écouter. Ils enregistrent et conservent en mémoire pour un usage futur les nuances du langage – les prononciations et les fautes de prononciation qu'ils entendent dans leur berceau. Et, lorsque les mots commenceront à surgir, ils seront prononcés avec l'accent local et le rythme distinctif que l'enfant a entendus dans le discours de maman et de papa. Les accents se forgent très tôt, quelle que soit la langue, et s'accrochent obstinément pour la vie.

Dans le cadre d'une expérience ingénieuse menée auprès d'enfants américains et japonais, Patricia Kuhl, de l'Université de Washington, a établi que les accents se forment tôt. Les adultes japonais tendent à confondre les sons «L» et «R», qui sont communs en anglais. L'expérience réalisée par Patricia Kuhl a démontré qu'un enfant de six mois de Tokyo percevait facilement que «L» et «R» étaient des sons différents, tout comme un bébé du même âge vivant aux États-Unis. Mais à 12 mois, les bébés japonais ne pouvaient plus distinguer un son de l'autre.

Pour faire sa découverte, la chercheuse a observé la façon dont les bébés tournaient la tête. Dans le laboratoire, une mère était assise, son bébé sur ses genoux, face à un expérimentateur qui tenait un jouet pour maintenir l'attention du bébé. Un interlocuteur faisait entendre les sons «la-la-la» à une seconde

d'intervalle pendant que le bébé regardait le jouet et écoutait. Ensuite, l'interlocuteur changeait pour «la-la-ra». Immédiatement, le couvercle d'une boîte en plastique s'ouvrait et un ourson en peluche commençait à frapper sur un tambour jouet. Le bébé se retournait pour regarder. Une caméra vidéo enregistrait l'expérience.

À l'âge de six mois, deux enfants sur trois, qu'ils fussent japonais ou américains, se tournaient pour regarder, alertés par les changements dans les paroles de l'interlocuteur. À l'âge de 12 mois, 80 % des Américains se retournaient, mais seulement 59 % des Japonais se retournaient, résultat à peine supérieur aux probabilités dues au hasard. Pour ces derniers, les deux sons étaient devenus le même. Dans un autre exemple de maturation neurologique, les voies nerveuses qui n'étaient plus utilisées ont été élaguées et celles qui étaient utilisées et renforcées se sont développées et consolidées.

Selon la nouvelle vision du développement du nourrisson, Julien et Olivia ressemblent essentiellement à la progéniture des autres espèces en ce qu'ils reconnaissent rapidement qu'ils sont entourés par d'autres êtres «comme moi». Ce constat leur inspire l'envie de communiquer avec ceux qui sont «comme moi». Cette reconnaissance est le fondement du langage secret des bébés ainsi que de la communication orale. Julien et Olivia reconnaissent que la maman souriante et le papa radoteur qui sont penchés sur leur berceau sont «comme moi». Fondamentalement, ils savent d'instinct que, parce qu'ils sont sans défense, il est dans leur meilleur intérêt de reconnaître ceux qui les nourrissent, les soignent et les protègent, et de leur tendre la main ; ainsi se forge le lien «comme moi». Cette reconnaissance de l'interdépendance est plus qu'un seul instinct de survie, cependant. Il s'agit aussi du début du comportement social et de l'entrelacement de l'existence du nouveau venu dans le tissu social. Julien et Olivia sont des animaux sociaux et doivent relier leur vie à celle des autres animaux sociaux –

d'où le besoin de communiquer par tous les moyens possibles.

L'esprit scientifique mis à part, les progrès de la technologie sont peut-être ce qui a le plus contribué au nouveau paradigme de développement de l'enfant. La caméra vidéo, associée à l'ingéniosité de la science, a ouvert une fenêtre sur des comportements chez les nouveau-nés qui étaient vaguement soupçonnés auparavant. Grâce à des caméras de surveillance comme celles de votre dépanneur local, qui permettent d'enregistrer chaque mouvement de bras et de jambes, chaque sourire et froncement de sourcils, de même que les moindres nuances du comportement, les scientifiques sont maintenant en mesure d'étudier toutes les subtilités qui avaient échappé aux experts précédents et même aux parents les plus vigilants. Par exemple, des lentilles sensibles se concentrent sur les petits yeux ; non seulement suivent-elles le point de mire ciblé par les yeux du bébé, mais elles enregistrent ingénieusement les images vues par le bébé et le temps nécessaire pour que ces images soient captées par le nourrisson, ainsi que la durée du maintien de son attention visuelle. Les appareils qui servent à enregistrer les tout-petits sont attachés au matelas du berceau et captent tous les sons, qu'ils soient causés par le mouvement ou par la vocalisation. Ces enregistrements peuvent être mis en corrélation avec les observations captées sur bande vidéo.

En outre, les scientifiques ont commencé à utiliser la technologie pour mettre en place des épreuves perfectionnées permettant d'observer les réactions des bébés à une variété de situations. Par exemple, on a fait voir à bébé des images du visage de sa maman à côté de celui d'une autre femme pour déterminer lequel des visages bébé préférait. Sans surprise, les images captées par les lentilles ont confirmé que le visage de maman était toujours le préféré. Poussant un peu plus loin leurs investigations, les chercheurs ont projeté des images de maman qui souriait et des images de maman qui fronçait les sourcils ; ils ont observé que l'expression faciale du bébé changeait en conséquence.

Pendant ce temps, les neurobiologistes et les neuroanatomistes continuaient à approfondir leurs connaissances sur le développement du cerveau du bébé. Fondamentalement, ils ont appris que l'enfant, à la naissance, possède des milliards de neurones interconnectés et que, à mesure que le cerveau se développe, les connexions neuronales fréquemment utilisées sont renforcées et celles qui sont inutilisées sont abandonnées. Ainsi, le cerveau en pleine crois-sance du bébé permet à l'enfant d'atteindre et de saisir des objets, de se concentrer sans se tromper sur le visage de maman et d'observer, d'enregistrer et de se souvenir des modes de comportement utiles et acceptables qu'il faut retenir et reproduire. Chaque fois qu'un comportement se répète, les circuits neuraux sont renforcés. Les mouvements et les réactions qui n'apportent pas de résultat ou de réponse sont abandonnés.

Tous ces progrès et découvertes ont fait naître une nouvelle représentation de la communication des bébés. Les tortillements et les contorsions des nouveau-nés, nous le savons maintenant, ne sont pas aléatoires, mais sont une forme coordonnée d'expression et un moyen de communication avec l'entourage, même dès les premiers jours de la vie. Encore loin de pouvoir transmettre un message avec des mots, un bébé utilisera les mouvements de son corps (de plus en plus ponctués par des gazouillis et des roucoulades) pour exprimer ses besoins, ses désirs et même ses émotions. L'infaillible caméra vidéo, par exemple, a démontré que, même lorsque l'ombre de maman traversait le berceau par mégarde, un bébé de six semaines réagissait par un schéma prédictible de tortillements excités et d'agitation des bras. Et lorsque maman parlait d'un ton maternel apaisant, les mouvements de bébé étaient alignés sur le rythme de sa voix. Et, plus important encore, les études ont démontré que, chaque fois que maman répondait au langage corporel de bébé de manière à lui dire « message reçu », ce moyen de communication était renforcé et imprimé dans le cerveau du bébé.

# UN P'TIT SOURIRE

## L'importance du premier sourire

### CE QUE BÉBÉ FAIT
*Il sourit timidement et établit un contact visuel.*

### CE QUE BÉBÉ VEUT DIRE
*« J'aime regarder ton visage. »*

### CE QUE VOUS DEVRIEZ VOIR
*Bébé essaie déjà de communiquer avec vous.*

*L*es gens vous diront que le premier sourire charmant de votre bébé n'en est pas un. Le petit Daniel, suralimenté, laisse passer un gaz. Il ouvre grand la bouche pour se débarrasser d'une partie de ce dioxyde de carbone qui gonfle son ventre. Ce « sourire », vous dira-t-on, est juste un rot camouflé. Vous aimeriez croire que c'est un sourire, mais ce n'en est pas un.

Eh bien, n'en croyez rien. Votre bébé, comme tous les bébés, aime regarder des visages plus que toute autre chose. Une fois que Daniel peut maîtriser le foyer de ses yeux et tourner la tête vers le visage qui se penche sur son berceau, il fixe son regard sur l'expression du visage. Et il préfère le visage de sa mère d'abord et avant tout. Et elle sourit. Expérience après expérience, la preuve est faite que lorsqu'on montre à bébé une photo de maman et une photo d'une femme inconnue, bébé fixera infailliblement son regard sur maman. Il se met à faire de grands sourires et à regarder maman directement dans les yeux. Daniel ne gazouille pas, il est en train de dire: «Maman, j'aime te regarder!» Votre bébé est un dragueur naturel; qui pourrait résister à son flirt?

Son langage corporel est renforcé par vos actions en réponse: votre sourire ravi et votre visage penché sur lui pour que vos nez se touchent. Il aime cette attention. Il commence à faire des associations: si je fais cela avec ma bouche et mes yeux, maman va aussi faire quelque chose avec sa bouche et ses yeux et elle va me toucher. J'aime ça.

On a observé des sourires chez des nouveau-nés à peine quelques heures après leur naissance, des sourires fugaces laissant voir un léger redressement des commissures de la bouche. Ces petits sourires sporadiques se poursuivront pendant quelques semaines. Vers trois ou quatre semaines, bébé fait un sourire sans équivoque, les yeux brillants et le visage tout allumé. Maman est accro; elle et son bébé sont désormais soudés par ce lien. Il existe, bien sûr, une explication biologique de ce phénomène. Il est essentiel pour bébé, petit être impuissant et démuni, de tisser un lien affectif fort avec la personne qui le protégera et prendra soin de lui. C'est ainsi que les singes s'accrochent à leur mère et que les oisons suivent la piste de leur mère l'oie.

Le premier véritable «sourire social» de Daniel marque aussi une première étape importante dans son développement affectif. Ce large sourire

## DERRIÈRE LES SIGNES

## Les premières conversations de bébé

**Les bébés «conversent» vraiment avec les adultes qui prennent soin d'eux. Vérifiez par vous-même. Penchez-vous sur votre bébé et dites «Beau bébé! N'est-ce pas que tu es un joli bébé?» ou faites simplement des roucoulades ou des sons affectueux et souriez. La petite Justine est susceptible d'émettre ses propres roucoulades en agitant ses petits bras et ses petites jambes et en souriant, en reconnaissance joyeuse de l'attention que vous lui portez. Vous souriez et lui dites d'autres mots doux, elle répond par des gloussements, des coups de pied et des gestes de la main, souvent au même rythme que vous. Vous parlez, elle attend, puis «répond», tout comme le font les adultes.**

**Les experts en développement des enfants appellent ces échanges des «proto-conversations». Celles-ci sont importantes dans le cheminement vers la parole verbale; le bébé apprend que la communication est un processus bidirectionnel.**

# Maman, c'est toi que j'aime

Si une mère se penche sur le berceau de son bébé avec une autre femme, elle remarquera que le regard de bébé se pose sur elle et y reste fixé. Peut-être bébé jettera-t-il un coup d'œil rapide de curiosité sur l'autre femme, mais c'est maman que bébé aime regarder. C'est à elle d'abord et avant tout que bébé adresse ses premiers sourires.

édenté initial dit clairement « Bonjour le monde !
Bonjour maman ! Je suis ici et je te vois. » C'est le
début de l'intersubjectivité : bébé reconnaît que les
personnes proches de lui sont familières et qu'elles
sont liées à lui. Le sourire de bébé à ce stade veut
aussi dire : « Hé ! Tu es beaucoup comme moi. Je
comprends que tu fais partie de mon monde. » C'est
une façon pour bébé de s'identifier au genre humain.
Maintenant, il reconnaît clairement qu'il existe un
monde au-delà de lui-même. Il regarde entre les
barreaux de sa couchette et voit les choses et les
personnes qui traversent son champ de vision et qui
interviennent dans son existence, généralement pour
le mieux. Ces personnes et ces objets ont un effet
sur son bien-être et c'est ainsi qu'il a des sentiments
à leur égard, sentiments qui sont reflétés par le
froncement de son petit visage. Jusqu'à présent,
sa vie était centrée sur ses besoins physiques
individuels ; bébé était une créature plus ou moins
passive qu'il fallait nourrir, changer, baigner, dorloter
et maintenir au chaud. Maintenant, Daniel se joint
aux autres. Son sourire nouveau et amélioré envoie
un message. C'est le début de la communication.

Dans les jours et les semaines à venir, son rayon
d'atteinte s'élargira de plus en plus. Il éprouvera et
manifestera d'autres émotions – colère, frustration,

## La valeur d'un sourire

**La façon dont un bébé réagit au visage
de sa mère nous révèle à quel point
le sourire est important. Par exemple,
si le visage de la mère est impassible
et sans émotion, ou si la mère montre
des signes de tristesse, bébé n'aimera
pas cela du tout. Son propre visage
montrera de la tristesse. Il fermera les
poings, donnera des coups de pied sur
les côtés du berceau, détournera le
regard et agitera les bras pour essayer
de provoquer une réaction. Prendre
bébé dans ses bras et lui sourire pour
lui montrer que maman est heureuse
aidera à effacer la crispation du visage
de bébé et produira peut-être un
sourire radieux en retour.**

## Des faits

*Les bébés peuvent produire des
sourires réels dès l'âge de trois
jours, mais la plupart des bébés
commencent à sourire à trois ou
quatre semaines.*

joie, espièglerie, perplexité et malice – devant les choses qu'il verra et qui auront un effet sur sa vie.

Le cerveau du nourrisson est complexe et personne ne peut dire exactement quelles parties se lient aux autres ni quel chemin un message donné emprunte dans le cerveau. Selon la meilleure théorie, la partie « qui pense » (le cortex dans le cerveau antérieur) recueille l'information et la distribue ailleurs pour une action et une réaction. L'amygdale est une cible immédiate et importante et est considérée comme le siège de l'émotion. Pour simplifier : bébé voit maman et le cortex demande à l'amygdale : « Quel est mon sentiment par rapport à cette personne ? » L'amygdale dit au cortex : « Je l'aime ! » Le cortex dit aux muscles du visage « souriez » et les muscles obéissent.

## Pourquoi ne sourit-il pas à mamie ?

**Vous connaissez la scène : grand-maman rend visite à son petit-fils. Elle sourit, ravie, et lui fait même des guili-guili avec le doigt. À son grand désarroi, bébé se tortille, détourne la tête et se met peut-être même à pleurer.**

**Les bébés apprennent très tôt que les sourires sont destinés à certaines personnes spéciales. Ils ne sont pas accordés à tout le monde, seulement aux visages familiers qui prennent soin de bébé et ceux avec lesquels il existe un attachement et un lien particulier. Ce type de sélectivité est surtout important dans la seconde moitié de la première année de vie, qui coïncide avec le phénomène courant de la « peur des étrangers », lequel se manifeste lorsque bébé se sent menacé et craint les visages inconnus.**

Toutes ces connexions sont en place lorsque bébé naît. Mais le cerveau est un organe en construction. À mesure qu'il se développe et que l'univers de bébé s'élargit, les connexions non utilisées sont abandonnées et celles qui servent de façon répétée (par exemple, maman qui se penche affectueusement sur le berceau) s'affermissent de plus en plus. Chaque fois que bébé sourit et que maman sourit à son tour, la connexion est renforcée. Bien que cette réaction soit naturelle (quelle mère refuserait de rendre à bébé son sourire?), elle est également essentielle au développement de l'enfant, car cette connexion se fortifie dans le cerveau. Un bébé souriant qui ne reçoit pas de sourire en retour cessera bientôt de sourire. Une étude scientifique très connue a été réalisée auprès d'enfants vivant dans un orphelinat d'Europe de l'Est qui, tragiquement, n'avaient reçu que peu de stimulations émotionnelles. À six mois, ces bébés étaient encore incapables de répondre à un sourire.

## Des faits

*Appelez un bébé de cinq mois par son nom et il se tournera vers vous.*

# Le calendrier du sourire

Les sourires des bébés sont des actions évolutives. Colwyn Trevarthen, de l'Université d'Édimbourg, en Écosse, a visionné de nombreuses heures d'enregistrement vidéo; il a détecté des sourires chez des bébés aussi tôt que trois jours après la naissance. Mais ces sourires apparaissent fugacement aux commissures des lèvres. À partir de ce moment, les sourires évoluent:

**À 3 ou 4 sem.**

*Les commissures des lèvres se relèvent véritablement et les yeux s'illuminent et vous regardent directement.*

**À 3 mois**

*Le sourire s'élargit. La bouche s'ouvre, le visage entier s'illumine et des fossettes apparaissent sur les joues dans un sourire authentiquement heureux.*

**À 5 ou 6 mois**

*Un vrai sourire heureux et joyeux, la bouche ouverte et la langue visible. L'expression semble dire: «Je suis ravi!»*

**À 7 ou 8 mois**

*Bébé rit aux éclats et sourit volontiers à votre visage souriant.*

# LE MIROIR DE L'ÂME

## COMMUNIQUER AVEC VOTRE NOUVEAU-NÉ PAR LES YEUX

### CE QUE BÉBÉ FAIT
*Il vous fixe directement dans les yeux.*

### CE QUE BÉBÉ VEUT DIRE
*« S'il te plaît, occupe-toi de moi. »*

### CE QUE VOUS DEVRIEZ VOIR
*Bébé comprend que vous êtes « comme lui »*
*et que vous vous occuperez de lui.*

Quelques instants après sa naissance, votre petite Meï vous est présentée pour que vous fassiez connaissance et pour que vous l'allaitiez. Elle est calme et tout à fait éveillée, ne s'agite pas et ne pleure pas. Vous la soulevez pour l'admirer. À seulement quelques centimètres de son nez, vous vous rendez compte qu'elle vous regarde droit dans les yeux lorsque vous regardez dans les siens. Vos regards se soudent. Oui, elle est assurément en train de communiquer. Elle ne vous envoie peut-être pas un message explicite, elle communique néanmoins avec vous et s'intéresse résolument à ce qu'elle voit. C'est un moment excitant pour vous deux.

Ce contact par le regard est le premier véritable éclair de communication de bébé et les yeux seront dès lors un instrument vital de communication. Le moment où vous regardez bébé dans les yeux et où bébé vous renvoie votre regard introduit l'«intersubjectivité», telle que définie par le célèbre chercheur Colwyn Trevarthen, de l'Université d'Édimbourg. Ce terme fait référence au fait que deux «sujets» s'entrelacent très tôt et partagent un intérêt commun: leur lien de parenté. La petite Meï découvre qu'elle n'est pas seule dans cet environnement nouveau et peu familier. Il existe d'autres êtres autour d'elle qui ont la même apparence qu'elle, mais en plus grand. Ils fixent leur regard sur elle tandis qu'elle fixe son regard sur eux. L'intersubjectivité les lie maintenant et pour l'avenir. Et, jusqu'à un certain point, Meï comprend que la personne derrière ces yeux en gros plan s'occupera de son bien-être, de ses désirs, de ses besoins et de sa quête de compagnie. Ce contact par le regard envoie le signal qu'elle est prête à s'engager et à communiquer avec vous. Ce premier contact visuel ne durera que quelques secondes, mais il deviendra plus long et plus fréquent à mesure que les jours passeront.

## Il a la tête qui tourne !

**L'un des premiers examens effectués chez un nouveau-né est la vérification de ses réactions à un son particulier. Très tôt, bébé se tourne aussi vers le son de la voix de sa mère. Cette localisation du son s'étend rapidement à d'autres bruits et à d'autres voix. On a d'abord cru que la localisation se faisait beaucoup plus tard. Toutefois, la technologie a progressé à tel point que l'on a pu observer une coordination entre les sons et les mouvements de la tête très tôt chez les nouveau-nés.**

**Le psychologue avant-gardiste William James décrivait le monde des nouveau-nés comme une « confusion détonante ». La science reconnaît maintenant que ce monde est beaucoup plus organisé qu'il n'y paraît.**

Il s'agit d'une autre étape évidente du développement. Meï peut maintenant orienter son regard directement vers les objets et les personnes proches d'elle qui attirent son attention : votre visage, le mobile suspendu au-dessus de son berceau, les images intéressantes qu'elle voit entre les barreaux de son lit. Autrefois, on croyait que les yeux des nouveau-nés n'étaient pas encore capables de « suivre du regard », c'est-à-dire qu'ils ne pouvaient pas suivre un objet en mouvement traversant leur champ de vision. Les petits muscles moteurs des yeux en développement ne permettaient pas encore ce genre de mouvement. Aujourd'hui, les caméras vidéo omniprésentes nous ont démontré que les yeux de Meï sont en effet capables de regarder les choses et que Meï trouve plein d'éléments à observer, dès le début.

Un nouveau-né dort de seize à vingt heures par jour et il est somnolent ou à demi éveillé pendant quelques heures. Bébé passe seulement trois à quatre heures dans un état d'« éveil calme ». Mais au cours de ces quelques heures, Meï est consciente de son environnement, sensible aux personnes qui l'entourent et réceptive à leurs avances. Elle regarde les objets, les personnes, le papier peint aux couleurs vives. Si vous avancez vers elle, ses yeux s'agrandissent à mesure que votre ombre se prolonge sur son berceau. Observez-la et voyez ses yeux changer lorsqu'elle pénètre dans un nouvel environnement. Regardez-la tourner la tête sur le côté pour pouvoir voir quelques mètres plus loin.

Meï a déjà des préférences pour ce qu'elle aime regarder. Elle choisit des couleurs vives et de gros motifs. Les motifs rouges en zigzag lui plaisent, les cercles couleur lavande l'ennuient. C'est pourquoi les meilleurs mobiles de berceau comportent des motifs rouges, orange et bleu électrique accrocheurs. Meï aime aussi voir du mouvement. Même le scintillement des images sur un écran de télévision attirera son attention, bien qu'il existe peu de preuves qu'elle puisse comprendre ce qu'elle y voit.

# La révolution tranquille

Colwyn Trevarthen est un professeur de psychologie et de psychobiologie qui ressemble à tout sauf à un rebelle. Pourtant, avec ses observations sur l'intersubjectivité entre les nouveau-nés et les personnes qui les soignent, il a renversé de façon spectaculaire les théories admises sur le développement affectif des nouveau-nés. Colwyn Trevarthen a affirmé que le lien reposait sur la biologie humaine et qu'il était présent dès la naissance, tout comme l'attachement entre la mère et les petits chez d'autres mammifères. Les scientifiques qui l'ont précédé avaient une explication psychanalytique basée sur les enseignements de Freud et sur la notion que le bébé était une *tabula rasa*, un être vide de toute connaissance dont les liens affectifs étaient façonnés par la mère dans les premières années de la vie. Les idées émises par Colwyn Trevarthen en 1950 ont d'abord été décriées,

mais sont maintenant admises dans le domaine du développement de l'enfant. Trevarthen a continué à produire d'autres études marquantes sur le développement émotionnel des enfants. Il a insisté sur l'idée que notre compréhension du développement affectif d'un enfant devait être sur un pied d'égalité avec notre compréhension de sa croissance physique. Lui-même musicien, Colwyn Trevarthen accorde un intérêt particulier au rôle de la musique dans le développement affectif de l'enfant. Il remarque que les rythmes sont présents dans l'utérus même, où la respiration rythmique et les battements de cœur de la mère dominent l'environnement du bébé. En ce début du XXIe siècle, il a tout naturellement concentré ses recherches sur les enfants autistes qui, souvent, sont incapables de manifester des émotions normales.

Les visages humains, cependant, sont ce que Meï préférera avant tout regarder et étudier. Un petit être humain qui a rencontré son premier visage il y a à peine une heure est étonnamment capable de reconnaître un visage humain lorsqu'il en voit un. Dans le cadre d'une expérience, des chercheurs ont projeté au-dessus de berceaux de bébés l'image déformée d'un visage humain. La bouche était placée dans le front et les yeux étaient placés ensemble sur le même côté du visage, comme un tableau de peintre cubiste. À côté de ce faux Picasso, les expérimentateurs ont projeté un visage normal souriant. Les bébés se sont concentrés sur le visage normal et n'ont jeté que des coups d'œil fugaces au visage caricatural.

Même s'ils sont de grands observateurs, les nouveau-nés sont extrêmement myopes. Meï fixera son regard plus fortement sur des objets situés à environ 21 cm de ses yeux. (Certains spécialistes estiment que la distance optimale peut se rapprocher de 40 cm.) La distance focale augmente de façon régulière à mesure que le nourrisson se développe. À trois mois, un bébé peut clairement voir les objets situés à 1,7 mètre ou au-delà.

Il faut être conscient de cela. Voici la leçon que vous, le parent, devez retenir : tenez votre nouveau-né près de votre visage, face à face, et insistez sur le contact visuel. Suspendez un mobile aux couleurs vives à une courte distance de bébé dans son berceau ; bébé pourra y fixer son regard et l'étudier.

Tenir un bébé en face de soi maximise le potentiel d'audition. Bien que les nouveau-nés normaux puissent assurément entendre, ils sont d'abord sensibles à une gamme limitée de sons, qui va de 200 à 500 hertz environ. Cette gamme correspond approximativement au registre supérieur de la voix humaine. Les parents du monde entier parlent effectivement à leurs bébés dans ce registre, avec la voix distinctive que l'on appelait traditionnellement le

être aperçu que quelques visages masqués dans la salle d'accouchement) semble reconnaître un visage si tôt? Plusieurs chercheurs émettent l'hypothèse que la reconnaissance de nos frères humains est une faculté innée qui est essentielle à la survie de l'espèce. Cette reconnaissance des autres «comme moi» est analogue à celle des canetons nouvellement éclos, qui sont capables d'identifier leur mère et leurs pairs canetons au sortir de la coquille et qui se regroupent autour d'eux. Les canetons étant vulnérables aux prédateurs, explique Susan Goldin-Meadow, de l'Université de Chicago, il est important qu'ils distinguent leurs parents (qui les protégeront) des autres (qui pourraient les manger). Les bébés humains, qui sont encore plus impuissants que les canetons au début de la vie, ont une capacité innée de reconnaître ceux qui les protégeront et favoriseront leur développement. Ils sont instinctivement attirés par des types «comme moi» qui veilleront à leur bien-être. «Je suis là, maman et papa, disent ces yeux perçants. Je suis à vous pour que vous m'aimiez et preniez soin de moi.»

distinctive que l'on appelait traditionnellement le «langage modulé» et que l'on appelle aujourd'hui le «langage adressé aux enfants».

Dans les aigus élevés, en étirant les syllabes pour être mieux compris, ils disent: «Allôôô béébééé! Le bôôô béébééé!» Le langage adressé aux enfants est plus élevé de deux octaves que le langage ordinaire et est exprimé d'une manière chantante et dans des rythmes et des mélodies qui attirent l'attention du bébé. Dans des pays aussi éloignés les uns des autres que Taïwan, l'Australie, l'Espagne et la Turquie, les chercheurs ont capté sur magnétophone des voix de mères parlant indubitablement en «langage modulé». Les chercheurs ont constaté que même les pères élevaient leur voix d'une octave par rapport à leur registre normal de ténor ou de baryton en s'adressant à des nouveau-nés.

Comment se fait-il qu'un bébé qui n'a jamais vu un visage humain avant sa naissance (et qui n'a peut-

## Des faits

**Même si bébé a une faible vision à distance, il est conscient des objets distants qui bougent. Il tourne la tête vers une voiture en mouvement ou vers un arbre qui bouge au vent.**

# Mobile magique

*À mesure que bébé grandit, il commence rapidement à établir le lien entre la cause et l'effet. Il apprendra que des actions peuvent être faites, qui produiront des résultats, et que ces résultats peuvent être anticipés.*

*Par exemple, si maman attache une extrémité d'un ruban rouge vif à un mobile et l'autre au pied de bébé, bébé verra ce processus en action. Lorsque bébé remue son pied, le mobile bouge et, en peu de temps, bébé se rend compte qu'il fait bouger le mobile et qu'il peut le faire volontairement.*

*Si le ruban était détaché, bébé continuerait à bouger ses pieds et deviendrait confus de voir que le mobile ne bouge plus.*

# J'ÉPIE

## BÉBÉ COMMENCE À COMMUNIQUER VISUELLEMENT AVEC LE MONDE

### CE QUE BÉBÉ FAIT
*Il bouge les yeux pour essayer de tout capter.*

### CE QUE BÉBÉ VEUT DIRE
*« Tout est tellement intéressant ! »*

### CE QUE VOUS DEVRIEZ VOIR
*Bébé peut maintenant voir ce qui l'entoure
et veut en apprendre plus.*

*P*ar un après-midi ensoleillé, vous entrez dans la chambre de bébé pour voir si votre petite Jade, âgée de sept semaines, va bien ou simplement pour admirer son corps endormi. À votre grande surprise, Jade est bien éveillée et alerte. Elle semble être en train d'étudier le mur au-dessus de son berceau, ses yeux sont fixés sur un soleil dansant au-dessus de sa tête. Son regard se tourne vers votre visage ; bébé esquisse un sourire, puis ses yeux se déplacent de nouveau. Cette fois, ils se concentrent sur un ballon tenu par un ourson en peluche sur le motif du papier peint de sa chambre. C'est un ballon d'un rouge vif et son regard y reste accroché.

À l'âge de deux mois, Jade et ses contemporains préfèrent regarder des visages humains. Ils aiment surtout les visages familiers de leur mère, de leur père et de leurs frères et sœurs. Mais, peu à peu, l'attention et les aptitudes visuelles s'élargissent pour englober aussi bien des objets que des personnes. Outre ces êtres humains qui se penchent sur son berceau, Jade aime examiner les meubles de sa chambre, la lampe, les jouets et tout objet brillant et coloré. Au moment de sa naissance, Jade ne pouvait pas voir à plus de 30 centimètres, soit la distance entre le nez de ses parents et le sien lorsqu'ils la tenaient en face d'eux. Maintenant, son champ de vision atteint clairement 1,5 à 1,8 mètre.

Des cinq sens que sont la vue, l'ouïe, l'odorat, le toucher et le goût, la vue est le dernier sens qui se développera pleinement chez Jade. Même chez un tout nouveau-né, on peut voir les lèvres réagir à un goût sucré ou le nez se froncer à une odeur désagréable. Une année entière passera avant que la vision de Jade puisse être qualifiée de normale et corresponde à une vision de 20/20 chez l'adulte. Ce qu'elle voit à distance, en attendant, est flou, vague et vacillant. Vous projetez une image plus nette lorsque vous vous penchez sur bébé et le pressez contre vous que lorsque vous apparaissez dans l'embrasure de la porte. Cependant, à sept semaines, la vision améliorée de bébé lui fournit un nouvel outil qui lui permet de comprendre son monde.

## Le pouvoir du pendule

**Maintenant que vous savez que votre tout-petit de trois mois peut suivre un objet des yeux, vous pouvez vous amuser avec lui. Couchez bébé sur le dos, laissez pendre un foulard ou un ruban au-dessus de ses yeux, à environ 30 centimètres – assez loin pour que bébé ne puisse l'atteindre. Puis faites osciller lentement le foulard d'un côté à l'autre au-dessus de son visage, comme un pendule. Vous verrez ses yeux bouger de pair avec l'attrayante pièce de tissu. Vous l'entendrez probablement aussi pousser des petits cris de joie. N'en faites pas trop, cependant. Surveillez les signes d'ennui.**

Certaines images fonctionnent mieux que d'autres. À mesure que leur vision s'améliore, les bébés montrent une nette préférence pour les couleurs vives et voyantes, ce qui explique pourquoi Jade se concentre sur le ballon rouge tenu par l'ourson et non sur le ballon jaune pâle tenu par le lapin juste à côté. Grâce à leurs objectifs zooms qui captent l'information, les chercheurs ont découvert que les gros motifs sont plus populaires que les motifs plus subtils (les cercles concentriques d'une cible attireront plus l'attention qu'un damier). Lorsqu'un motif circulaire est projeté à côté d'un motif aux lignes irrégulières, les bébés passent plus de temps à regarder le cercle que les zigzags. Ils aiment aussi la nouveauté, surtout si le nouvel objet est de couleur orange ou bleu électrique.

À sept mois, à mesure que sa vision se précise, Jade peut passer jusqu'à 50 % de son temps d'éveil et d'exploration à étudier le panorama des objets fixes qui l'entourent. Chaque objet est examiné visuellement et intégré à son univers figuratif. Elle remarque qu'un nouvel objet est présent et qu'un objet a été déplacé ou remplacé par un autre. Les personnes sont toujours ses sujets d'observation préférés ; mais ses semblables lui étant maintenant familiers, ils perdent de leur pouvoir d'attraction. Jade leur consacre maintenant 30 % de son attention. Les animaux comme l'épagneul de la famille et le rouge-gorge qu'elle aperçoit par sa fenêtre retiennent 20 % de son attention.

## Vois-tu ce que je vois ?

Les nourrissons aiment vous regarder dans les yeux, mais ils sont aussi fascinés par ce que vos yeux regardent. Dès l'âge de trois mois, bébé peut suivre votre regard lorsque vous jetez un œil à gauche ou à droite, même si seuls vos yeux bougent tandis que votre tête reste immobile. Vous voyez les yeux de bébé se focaliser sur la même chose que vous; bébé suit votre regard même s'il ne peut pas voir ce que vous regardez.

En suivant votre regard, bébé dit : « Je veux savoir ce que tu regardes. » Il n'aimera pas, cependant, que votre regard demeure détourné. Comme les adultes, les bébés sont rebutés par quelqu'un qui ne les regarde pas dans les yeux. Des expériences ont démontré que les nourrissons sourient beaucoup moins à un visage dont les yeux sont braqués à gauche ou à droite qu'à un visage ayant un regard direct. Les personnes qui les regardent du coin de l'œil, la tête tournée, ne sont pas appréciées non plus.

Suivre le regard de l'autre est davantage un signe d'intersubjectivité, c'est-à-dire de la « communauté » du « comme moi » qui lie le bébé et l'adulte. Ce lien se renforce à mesure que les mois passent.

Mais lorsque bébé vous regarde dans les yeux, c'est souvent avec un but. « Regarde où je regarde. Vois ce que je vois. » Jade tournera les yeux vers la boîte à musique près du lit, puis regardera dans votre direction pour voir si vous regardez aussi la boîte. « Vois-tu cela ? » C'est à vous de donner la réplique en suivant son regard, en regardant la boîte à musique et peut-être en la prenant et en la faisant jouer. « C'est la boîte à musique de Jade », dites-vous, en n'oubliant pas de mentionner son nom. « Écoute la boîte de Jade jouer une berceuse. » Vous pourriez même fredonner la mélodie tout en l'écoutant.

Les sons captent de plus en plus l'attention de Jade maintenant, et non plus seulement les bruits forts, les claquements sonores ou les sirènes d'ambulance qui la faisaient tressaillir plus tôt. Dès la naissance, elle tournait la tête dans la direction de la voix de sa mère. Elle est toujours à l'écoute du rythme et des intonations de la voix de sa mère, mais vous allez voir qu'elle est aussi captivée par le ronflement de l'aspirateur ou par la cadence de la musique à la radio. Elle essaie d'intégrer ces sons au reste de son monde et elle aime découvrir les sons elle-même. Elle commence à associer ce qu'elle voit avec le bruit que cela fait (et souvent avec le goût que cela a). Le léger son aigu que fait sa poupée ou le clapotis de ses jouets dans l'eau du bain lui feront émettre des petits cris de joie. Le chercheur Philippe Rochat appelle cette transformation la « révolution des deux mois ». Les actions de Jade jusqu'à présent se rapportaient principalement à ce que l'on pourrait appeler l'instinct de survie. Son univers s'était limité à des tétées, des dodos, des bains et des changements de couches. Maintenant, elle progresse au-delà de l'essentiel. Tant que ses besoins immédiats seront comblés, elle sera moins axée sur des désirs primaires et cherchera davantage à explorer et à comprendre le monde complexe dans lequel elle est née – ainsi que les personnes et les objets qui le peuplent.

## DERRIÈRE LES SIGNES

### Pour accrocher l'œil

Il était une fois des parents qui attendaient un enfant. Avec enthousiasme, ils ont peint et tapissé la chambre de bébé en utilisant des tons traditionnels de rose, de jaune pâle et de bleu bébé. Pendant des décennies, on a préféré les formes douces, les détails en dentelle et les tons pastel dans la décoration des chambres d'enfants. Aujourd'hui, les parents bien informés comprennent que les tout-petits apprécient une palette plus colorée et que leurs yeux en plein développement trouvent beaucoup plus intéressantes les formes solides et nettement définies. Envisagez l'orange, le rouge et le bleu électrique, de même que des formes graphiques aux bords soulignés en noir, comme des cercles concentriques. Rappelez-vous que la beauté est dans l'œil de celui qui regarde ; bébé dévorera le décor des yeux !

# PLEURER FORT POUR BIEN SE FAIRE COMPRENDRE

## COMMENT INTERPRÉTER LES PLEURS DE BÉBÉ

*L*es geignements venant du berceau de la petite Brigitte attirent immédiatement votre attention, même s'il est deux heures du matin. Cela commence par un gémissement agité, suivi d'une première tentative de « ouiiin ». Puis d'autres « ouiiin » plus forts, plus rapprochés et plus aigus se font entendre. À présent, vous êtes probablement tout à fait réveillé et à côté du berceau, sachant que c'est l'heure du boire. Mais, si vous n'êtes pas très rapide à sortir du lit, la sérénade bruyante et incessante se poursuivra jusqu'à ce que vous interveniez – nerveusement, frénétiquement ou avec résignation. Et, même si vos actions calment la faim et les pleurs de Brigitte, vous savez que d'autres gémissements viendront et qu'ils seront le moyen de communication que Brigitte empruntera au cours de la prochaine année. Et peut-être au-delà.

# Pourquoi les bébés guatémaltèques ne pleurent-ils pas ?

**Les bébés qui vivent dans les zones rurales et montagneuses d'Europe centrale et d'Amérique du Sud sont portés en écharpe sur le dos de leur mère. Le résultat en est que maman peut sentir chaque mouvement et tortillement du corps du bébé. Lorsqu'il a faim, ses mouvements et son agitation le disent à maman. Il n'a pas besoin de pleurer pour le lui rappeler. Lorsque maman dort, il dort auprès d'elle et, bien sûr, elle se rend compte rapidement qu'il a besoin d'être changé. Dans les pays développés, les bébés sont plus souvent seuls dans leur chambre ou installés dans des berceaux ou des parcs pour bébé. Ils doivent s'égosiller pour faire connaître leurs besoins et leurs désirs.**

«Les bébés pleurent, c'est leur boulot», a écrit un jour un éminent chercheur. En effet, selon l'American Academy of Pediatrics, un nouveau-né normal et en santé pleure une à quatre heures par jour et chaque pleur contient un message. Le mot «enfant» est dérivé du mot latin «infans» qui signifie «qui ne parle pas», ce qui ne veut pas dire «silencieux», il faut s'en souvenir. La plupart des bébés viennent au monde en poussant un vagissement, dont l'utilité est double : donner l'assurance aux parents et au personnel médical que le nouveau venu est en bonne santé ; remplir ses minuscules poumons d'oxygène. Par le passé, les médecins provoquaient souvent ce cri – en même temps que la première bouffée d'air – par une claque vigoureuse sur les fesses pour déclencher la respiration rythmique du bébé. Ce vagissement aigu est caractéristique, mais il sera suivi par d'autres types de pleurs au cours des heures, des jours, des semaines et des mois à venir. Bébé utilise ses cordes vocales pour exprimer toutes sortes de désirs, de sentiments, de pensées et de malaises et pour transmettre sa réaction à des stimuli externes et internes. Les bébés humains, soit dit en passant, ne sont pas les seuls animaux à accomplir des prouesses gutturales. Les pleurs des tout-petits ressemblent à ceux de certains autres mammifères et servent à des fins similaires. Les chercheurs affirment que les pleurs des bébés humains se produisent sur la même longueur d'onde et aux mêmes intervalles que les miaulements des chatons ; ces scientifiques utilisent souvent des chatons dans leur recherche sur les pleurs humains. Les singes sont aussi de remarquables braillards.

atteindre ce jouet!» (la frustration); «Viens jouer avec moi» (un besoin d'attention); «Je suis fatigué» (un besoin de sommeil); ou encore «Arrête! Ça suffit!» (de l'hyperstimulation).

Au début, les bébés pleurent par pur réflexe. Bébé ne pense pas: «Hé, regarde l'heure! Il est temps de me donner à manger. Je ferais mieux de pleurer et d'attirer l'attention de maman.» Un signal interne sensible à ses besoins déclenche le mécanisme instinctif du pleur, lequel force l'air dans la tra-chée à travers les cordes vocales et provoque un «ouiiin!». Grâce à une technologie perfectionnée et informatisée, des chercheurs en Europe et aux États-Unis ont enregistré et mesuré les propriétés acous-tiques des pleurs. Leur fréquence tonale se situe normalement entre 350 et 500 hertz. La fréquence moyenne est estimée à 440 hertz. Un chercheur hongrois, doué de l'oreille absolue, traduit les pleurs comme étant un *si* naturel dans l'échelle musicale. Cette note est proche du *la* que les musiciens d'orchestre utilisent pour accorder leurs instruments.

Les pleurs sont un produit de l'appareil respiratoire. Chaque pleur est un souffle d'air expulsé des poumons à travers les cordes vocales, après quoi le crieur doit faire une pause et refaire le plein d'air. D'où la fluctuation dans les «ouiiin-ouiiin-ouiiin», chaque «ouiiin» consommant huit à dix secondes, suivi d'une pause pour reprendre haleine. Et, bien que le volume des pleurs d'un bébé puisse sembler plus élevé au milieu de la nuit, il est habituellement d'environ 85 décibels, ce qui les place dans la classe d'un camion dépourvu de silencieux. (Toutefois, certains pleurs ont déjà atteint une puissance sonore de 117 décibels.) Les pleurs durent rarement des heures entières, même s'il arrive que les parents aient l'impression du contraire. Il est rare que les pleurs d'un bébé normal et en bonne santé se poursuivent sans interruption au-delà de cinq minutes; ils ne durent presque jamais plus que dix minutes.

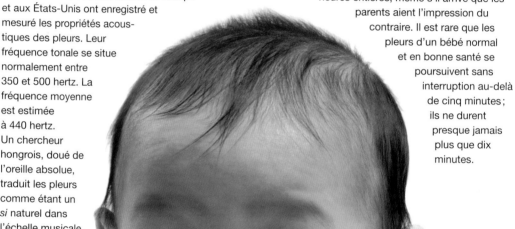

## DERRIÈRE LES SIGNES

### Le gourou des pleurs d'enfants

**Le docteur Barry Lester a consacré plus de 30 ans à étudier à l'échelle internationale les pleurs des nourrissons souffrant de coliques; il est devenu une sommité dans ce domaine. Il a sillonné les hautes terres du Guatémala au cours des années 1970 dans le cadre d'un projet de recherche et a entendu des bébés très mal en point souffrant de malnutrition et dont les pleurs aigus indiquaient des dommages au cerveau par manque de protéines. À son retour, il s'est plongé dans l'étude de la néonatologie et des soins du nouveau-né. Il s'est spécialisé dans la recherche et le diagnostic des nourrissons dont le cerveau a subi des dommages et dont la mère a consommé de la cocaïne et d'autres drogues dures, et, plus récemment, des méthamphétamines.**

Des chercheurs qui ont enregistré le moindre geignement de bébé ont constaté qu'il n'existe que deux types de pleurs : le cri de douleur (un éclat de voix haut perchée et tremblotante qui alerte immédiatement les parents) et le pleur de base, utilisé pour toutes les autres fins (que ce soit pour annoncer une fringale ou une couche mouillée). À deux mois, cependant, à mesure que les cordes vocales se développent, bébé commence à se rendre compte qu'il peut produire volontairement des pleurs et peut utiliser la vocalisation pour obtenir des résultats. Au cours des prochains mois, il se laissera souvent aller à pleurer tout simplement pour informer le monde qu'il est en colère, frustré, qu'il a sommeil ou qu'il se sent seul.

### Des faits

*Le corps même d'une mère qui allaite peut reconnaître les pleurs de son bébé. Les pleurs de bébé, qui lui sont uniques, déclenchent un réflexe de montée de lait chez sa mère et la préparent pour l'allaitement.*

## DERRIÈRE LES SIGNES

### Les maux de ventre

Lorsqu'un bébé pleure une demi-heure après le repas, le chili con carne est peut-être à blâmer. C'est parce que les épices ingérées par la mère qui allaite peuvent passer dans le lait maternel et causer des gaz ou d'autres troubles intestinaux bénins. Les pédiatres conseillent généralement aux mères qui allaitent de réduire au minimum leur consommation d'aliments épicés.

Au début, les parents ont de la difficulté à différencier un pleur d'un autre. Quel gémissement constitue une urgence? Quel pleur peut attendre? Avec le temps, l'expérience et une bonne qualité d'écoute, vous pouvez apprendre à interpréter les messages contenus dans les pleurs. Parfois, bien sûr, la raison est évidente. Lorsque bébé pousse un hurlement devant le pédiatre qui vient de le vacciner, vous savez que ce tollé signifie : «Aïe! Ça fait mal!» À deux heures du matin, lorsque vous entendez une plainte émanant du berceau, suivie d'une tentative de gémissement, puis d'un pleur bref et explosif qui augmente de volume, vous n'avez qu'à regarder le réveille-matin pour constater que c'est l'heure du boire. Il s'agit assurément d'un pleur qui signifie «j'ai faim».

Voici un répertoire utile des pleurs d'un bébé et l'interprétation à donner à ce que vous entendez.

### Des faits

*Les bébés ne souffrant pas de coliques pleurent rarement plus de dix minutes d'affilée, bien que les parents aient l'impression que les pleurs durent plus longtemps.*

# 1. LE HURLEMENT

**CE QUE VOUS ENTENDEZ**
Un pleur long, fort et strident qui arrive de manière soudaine et inattendue. Une pause pour reprendre haleine, puis un autre pleur explosif, plus fort et plus insistant, sans mélodie ni rythme. Si vous regardez dans le berceau, vous verrez peut-être une bouche grande ouverte, un corps tendu, des pieds en l'air et des bras immobiles sur les côtés.

**CE QUE CELA SIGNIFIE**
«Quelque chose fait vraiment mal!»

**CE QU'IL FAUT FAIRE**
Allez vite voir. Recherchez les explications rapides. Quelque chose de nuisible est-il tombé dans le berceau? Bébé se frotte-t-il l'oreille, ce qui pourrait indiquer un mal d'oreille? Vérifiez s'il a de la fièvre. Appelez le pédiatre.

# 2. LES PLEURS RYTHMIQUES

**CE QUE VOUS ENTENDEZ**
Des signes d'irritabilité, des coups venant du berceau, un son guttural ou glottal, un premier pleur ou geignement, puis des pleurs rythmiques et vacillants.

**CE QUE CELA SIGNIFIE**
«J'ai faim!»

**CE QU'IL FAUT FAIRE**
Donnez le sein ou un biberon. Si ce n'est pas l'heure normale du boire, la cause peut être d'ordre intestinal: prenez bébé dans vos bras, appuyez-le contre votre épaule et faites-lui faire un rot.

## 3. LA LAMENTATION

**CE QUE VOUS ENTENDEZ**
Des signes d'irritabilité, suivis de pleurs plutôt légers, puis de pleurs arythmiques qui fluctuent en hauteur et en volume. Vous pourriez entendre bébé sucer ses doigts. À côté du berceau, vous verrez peut-être bébé se frotter les yeux ou se toucher les oreilles.

**CE QUE CELA SIGNIFIE**
« J'ai sommeil ! »

**CE QU'IL FAUT FAIRE**
Si c'est l'heure de la sieste et que bébé est dans son berceau, attendez et voyez si les pleurs se calment. Si c'est le cas, jetez un œil sur bébé et assurez-vous qu'il n'a pas trop chaud ni trop froid. Si bébé joue activement avec vous ou avec son frère, ce type de pleurs peut être un signe d'hyperstimulation – il en a assez ! Prenez-le, tenez-le dans vos bras et apaisez-le jusqu'à ce qu'il cesse de pleurer et se calme.

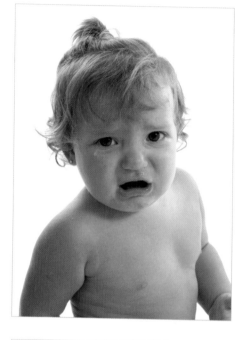

## 4. LE GEIGNEMENT

**CE QUE VOUS ENTENDEZ**
Un pleur nasal et faible, semblable à un pleur de douleur pour la hauteur et la soudaineté, mais avec moins de volume et parfois moins de hauteur. Une pause pour reprendre haleine, puis le pleur reprend, parfois plus faiblement. Vous verrez peut-être le visage de bébé s'empourprer.

**CE QUE CELA SIGNIFIE**
« Je me sens malade ! »

**CE QU'IL FAUT FAIRE**
Vérifiez les signes immédiats de maladie, tels que fièvre ou rougeur du visage, jambes relevées (ce qui peut indiquer une douleur abdominale), frottement d'oreilles (infection de l'oreille) ou diarrhée. Prenez bébé dans vos bras et apaisez-le. Appelez le pédiatre.

## 5. LE BRAILLEMENT

CE QUE VOUS ENTENDEZ
Un pleur perçant, brusque et fort, une reprise
d'haleine aiguë, puis un autre pleur encore
plus perçant.

CE QUE CELA SIGNIFIE
«Quelque chose me fait peur!»

CE QU'IL FAUT FAIRE
Allez vite voir bébé, prenez-le et apaisez-le.
Chercher la cause des pleurs et corrigez-la. (Bébé
peut simplement avoir été surpris par un bruit
fort.) Chez un bébé de dix à douze mois, un cri de
peur continu peut être causé par l'angoisse de la
séparation: «Maman a disparu. Reviendra-t-elle?»

## 6. LE GÉMISSEMENT

CE QUE VOUS ENTENDEZ
Un vagissement sonore, semblable au pleur de
douleur, qui commence plus progressivement,
mais qui est continu. Souvent accompagné de
contorsions et de mouvements, comme si bébé
cherchait une position plus confortable.

CE QUE CELA SIGNIFIE
«Change-moi!»

CE QU'IL FAUT FAIRE
Vérifiez les fesses de bébé. En cette époque où
les couches absorbantes sont largement utilisées,
une couche mouillée seule est rarement une
cause d'inconfort. Vérifiez la présence de rougeur,
d'irritation ou d'érythème fessier et traitez le problème en conséquence. Il pourrait être judicieux de
cesser de mettre une couche à bébé jusqu'à ce que
la douleur soit apaisée.

## 7. LE SANGLOT ÉPUISÉ

**CE QUE VOUS ENTENDEZ**
Un pleur long et fort, habituellement au coucher, qui semble résister à l'apaisement.

**CE QUE CELA SIGNIFIE**
« J'en ai eu assez pour aujourd'hui ! »

**CE QU'IL FAUT FAIRE**
Au préalable, surveillez les indications d'hyper-stimulation (bébé se détourne ou s'agite con-vulsivement), surtout lorsqu'il a joué avec ses frères et sœurs. Prenez bébé dans vos bras, calmez-le, ce qui peut demander dix minutes ou plus.

## 8. LE PLEUR D'INCONFORT

**CE QUE VOUS ENTENDEZ**
Un pleur fort, clair et continu, qui monte et qui descend, mais qui a un rythme défini.

**CE QUE CELA SIGNIFIE**
« J'ai froid ! » ou « J'ai chaud ! »

**CE QU'IL FAUT FAIRE**
Les bébés sont sensibles à la chaleur et au froid. Curieusement, les pleurs signifiant « J'ai froid ! » peuvent être auto-correcteurs. Pleurer produit de la chaleur, ce qui augmente la température corporelle. Si bébé semble avoir trop chaud, retirez des couvertures ou des vêtements.

## 9. L'EMPORTEMENT

**CE QUE VOUS ENTENDEZ**
Une explosion de colère soudaine, suivie d'une pause pour reprendre haleine et d'une seconde explosion. Similaires, dans le ton et le rythme, aux pleurs d'hyperstimulation.

**CE QUE CELA SIGNIFIE**
« Je suis vraiment furieux ! » ou « Je suis vraiment frustré ! »

**CE QU'IL FAUT FAIRE**
Ce n'est pas une urgence. Examinez la scène. Chez un bébé qui peut s'asseoir ou ramper, ce pleur peut indiquer de la frustration parce qu'il ne peut pas atteindre ou saisir un objet convoité. Chez un bébé qui commence tout juste à se tenir debout, le pleur peut vouloir dire : « J'ai compris comment me tenir debout, maintenant comment dois-je redescendre ? » S'il est frustré, offrez-lui l'objet désiré ou aidez-le à remplir la tâche qui lui est difficile, quelle qu'elle soit.

## 10. LE SANGLOT RYTHMIQUE

**CE QUE VOUS ENTENDEZ**
Un pleur de faible hauteur, implorant, rythmique et insistant.

**CE QUE CELA SIGNIFIE**
« Je me sens seul et négligé. Viens me chercher ! »

**CE QU'IL FAUT FAIRE**
Un parent bien informé dira : « Ça, c'est son pleur pour attirer l'attention ! » sachant que bébé, confiné dans son berceau, a envie lui aussi de partager l'atmosphère de plaisir qui règne dans le salon. Il veut qu'on le prenne et qu'on l'amuse. À vous de décider de la prochaine étape.

# LE VISAGE

## UN GUIDE POUR COMPRENDRE LES EXPRESSIONS DU VISAGE DE BÉBÉ

*Vous avez osé enlever le nounours de Félix, trois mois, et il n'aime pas ça du tout. Son visage le montre. Il fronce les sourcils, serre les lèvres en une ligne droite et ses joues deviennent rapidement cramoisies. Il est frustré. Il est énervé.*

Bien avant que Félix puisse envoyer des messages plus complexes à l'aide de ses bras ou de ses mains, son visage exprime une communication simple de base. Les contours de son menton, ses yeux, les mouvements de ses sourcils expriment ses pensées et ses sentiments presque aussi bien que les mots ne sauraient le faire. Par exemple, lorsqu'il est surpris ou effrayé, sa bouche grande ouverte forme un «O» majuscule. Comme dans le célèbre tableau d'Edvard Munch *Le cri*, des yeux effarés et grands ouverts soulignent son étonnement abrupt. Lorsqu'il est contrarié ou dérangé par quelque chose comme une couche mouillée et inconfortable, sa bouche se tourne vers le bas, ses sourcils remontent, ses yeux se remplissent de larmes et son petit corps est secoué de sanglots rythmiques. Lorsque vous faites le pitre pour lui et qu'il apprécie vos visages drôles, il arbore un large sourire de plaisir.

Le visage de bébé contient 25 ensembles différents de muscles entrelacés et orchestrés par le cortex moteur du cerveau. Dès les premiers jours de vie,

## DERRIÈRE LES SIGNES

## Calendrier des expressions faciales de bébé

**Voici les différentes expressions faciales que vous pouvez attendre de votre bébé:**

**À LA NAISSANCE:** intérêt, détresse, effarouchement

**À SIX SEMAINES:** bonheur

**À TROIS OU QUATRE MOIS:** surprise, plaisir

**ENTRE CINQ ET NEUF MOIS:** colère, peur, dégoût, répulsion, joie, honte

**ENTRE NEUF ET DOUZE MOIS:** ennui, anxiété, anticipation

ces muscles travaillent ensemble pour exprimer toutes sortes de sentiments et d'émotions, ce que les chercheurs ont mis en évidence grâce à des enregistrements vidéo à haute vitesse. L'action musculaire est déclenchée lorsque les stimuli sont détectés par les sens et sont traités par le cerveau; une réponse neuronale dit aux sourcils de se froncer dans une grimace de contrariété ou aux commissures des lèvres de se relever lorsque vous dites: «Bonjour, béébééé!» Le réseau de l'expression du visage est clairement présent à la naissance et fait partie des défenses de survie de bébé. Le regard alarmé de bébé à la suite d'un bruit soudain et violent est conçu pour révéler au protecteur de l'enfant que bébé se sent menacé.

## Des faits

*Tous les bébés adorent les miroirs. Placez votre tout-petit devant un miroir et regardez-le répéter son répertoire de mimiques.*

# IMAGE MIROIR

Placez-vous en face de votre nouveau-né. Sortez la langue. Vous verrez qu'il sort aussi sa langue ! Imitateur naturel, bébé fera comme vous, même s'il n'a jamais vu sa langue et ne sait même pas qu'il en a une. Andrew Meltzoff, de l'Université de Washington, a fait cette étonnante découverte en 1977 et, bien que la plupart des scientifiques n'y aient pas cru à l'époque, l'expérience a depuis été reproduite de nombreuses fois par d'autres chercheurs. Si vous regardez bébé dans les yeux et clignez des yeux, il clignera des yeux aussi. Et si vous ouvrez grand la bouche en forme de « O », vous vous surprendrez à regarder la gorge de votre bébé, tout comme bébé regardera la vôtre.

## Sens-tu ma douleur?

**Vous pouvez dire si votre petit de quatre mois est heureux, triste ou en désarroi juste en regardant son visage. Mais lorsque bébé regarde votre visage, peut-il comprendre ce que vous sentez? Beaucoup de chercheurs pensent que oui. Un bébé de quatre mois peut facilement distinguer un visage heureux d'un visage triste et peut reproduire l'expression qu'il voit devant lui, quelle qu'elle soit. Si bébé prend une expression triste, cela le rendra-t-il triste? S'il imite un visage heureux, se sentira-t-il heureux? Personne n'a encore mis au point une expérience qui permettrait de répondre à ces questions, mais de nombreux scientifiques se penchent sur le sujet.**

Les bébés, comme les adultes, possèdent un nombre impressionnant d'expressions faciales, dont chacune peut être activée à tout moment. Le nombre précis d'expressions fait l'objet d'un vif débat parmi les chercheurs ; par exemple, certains croient que l'expression parfois classée comme une « alarme » n'est en fait qu'une expression basale plus prononcée de « surprise », qui est présente dès la naissance. Rappelez-vous aussi que les bébés ont tous des visages différents et, donc, leurs expressions paraissent différentes. En outre, la gamme d'expressions augmente au fil du temps, à mesure que bébé se développe et fait de nouvelles expériences. Prenez, par exemple, le petit Carl, six mois, qui peut se tenir assis dans sa chaise haute et regarder autour de lui, et la petite Lucie, onze mois, qui fait ses premiers pas sur des jambes chancelantes. Ces deux bébés voient un monde complètement différent de ce que voit le nouveau-né Nicolas, de même qu'ils ont des réactions et des expressions faciales différentes. Nicolas, lui, est encore confiné à son berceau et ne fait que dormir, téter et remplir des couches. Les expressions (et les réactions qu'elles indiquent) exercent aussi une sorte de continuum : par exemple, l'intérêt conduit à l'excitation ; la colère conduit à la rage irrépressible.

Le pédopsychiatre Paul C. Holiger, de Chicago, a classifié neuf expressions faciales révélatrices chez le nourrisson qui sont communes à presque tous les bébés dans leur première année de vie. Il les a nommées : l'intérêt, la joie, la surprise, le désarroi, la colère, la peur, la honte, le dégoût et la répulsion. (D'autres spécialistes ajouteraient l'ennui, la tristesse et l'hyperstimulation.) Il fait remarquer que les trois premières expressions indiquent le plaisir et les six autres sont des appels à l'aide. Les expressions négatives sont plus nombreuses que les expressions positives parce qu'il est plus important pour le nourrisson humain sans défense de signaler une menace que de faire connaître son contentement.

Apprenez à reconnaître ces expressions faciales fréquentes et leurs messages correspondants.

## 1. L'INTÉRÊT

CE QUE VOUS VOYEZ
Bébé regarde fixement un objet juste au-delà de sa portée, peut-être une tasse sur une table à côté. Sa bouche est légèrement ouverte. Ses sourcils sont levés et sa tête est tendue comme s'il écoutait aussi. Il maintient les yeux sur l'objet pendant plusieurs minutes, comme s'il l'étudiait.

CE QUE CELA SIGNIFIE
«Cette petite tasse est vraiment fascinante!»

CE QU'IL FAUT FAIRE
Encouragez son intérêt en nommant l'objet: «Oh, c'est une tasse, Jean. N'est-ce pas qu'elle est jolie?» Si la tasse est fragile, prenez-la, montrez-la -lui, puis placez-la dans un endroit plus sûr.

## 2. LA JOIE

CE QUE VOUS VOYEZ
Vous venez de faire quelques grimaces drôles à bébé et il vous adresse un sourire large et enga-geant. Ses yeux brillent, ses sourcils et tout son visage sont détendus. Ses joues replètes arborent de jolies fossettes.

CE QUE CELA SIGNIFIE
«Oh, c'était amusant! Fais-le encore!»

CE QU'IL FAUT FAIRE
Rendez-lui son sourire et profitez-en pour passer un bon moment avec lui.

## 3. LA SURPRISE

**CE QUE VOUS VOYEZ**
Oh! Un bruit soudain a fait sursauter bébé et sa bouche forme un grand rond ovale. Ses sourcils se relèvent, son front se plisse. Ses yeux sont grands ouverts et clignent. Il peut sembler un peu craintif, et même apeuré.

**CE QUE CELA SIGNIFIE**
«Oh! Cela m'a surpris. Je ne m'attendais pas à ça!»

**CE QU'IL FAUT FAIRE**
Rassurez bébé verbalement («C'était un bruit fort, n'est-ce pas? Il m'a fait sursauter aussi. Mais c'est fini maintenant et tout va bien.») Et serrez-le dans vos bras si nécessaire.

## 4. LE DÉSARROI

**CE QUE VOUS VOYEZ**
Le tigre en peluche de bébé a disparu. Pendant que vous cherchez le tigre en vain, bébé est de plus en plus contrarié, comme l'indiquent ses sourcils arqués et les commissures de ses lèvres tournées vers le bas. Des larmes s'infiltrent dans le coin de ses yeux plissés, presque fermés. Son petit corps est secoué de sanglots.

**CE QUE CELA SIGNIFIE**
«C'est terrible pour moi! Je suis tellement bouleversé!»

**CE QU'IL FAUT FAIRE**
Prenez-le dans vos bras, consolez-le et essuyez ses larmes. Essayez de le distraire avec un autre jouet. Rassurez-le en lui disant que le tigre sera trouvé ou remplacé.

## 5. LA COLÈRE

**CE QUE VOUS VOYEZ**
Quelque chose a fait exploser votre tout-petit de six mois. Il fronce les sourcils et plisse les yeux. Il crispe ses mâchoires et tient ses lèvres fermés. Son visage est cramoisi.

**CE QUE CELA SIGNIFIE**
« Je suis furieux ! »

**CE QU'IL FAUT FAIRE**
Vous devrez probablement supporter la crise et attendre que l'orage passe. Il est bien que bébé sache que c'est correct d'être en colère parfois. Souvent, l'émotion est dirigé davantage vers bébé lui-même que vers les autres : il peut démontrer de la frustration parce qu'il n'arrive pas à atteindre un jouet ou à jouer à un jeu. Si vous pouvez déterminer la cause de sa frustration et la corriger, faites-le.

## 6. LA PEUR

**CE QUE VOUS VOYEZ**
Un enfant aux yeux grands ouverts et au regard fixe, sous des sourcils froncés. Sa peau est pâle et froide. Il tremble et ses cheveux sont dressés.

**CE QUE CELA SIGNIFIE**
« J'ai vraiment peur ! »

**CE QU'IL FAUT FAIRE**
Plutôt que de nier la peur (« Oh, ne sois pas bébé ; il ne faut pas avoir peur de cette chose »), essayez de voir le point de vue de l'enfant. (« Ce clown fait un peu peur, n'est-ce pas ? ») N'oubliez pas que les événements qui font peur à un jeune enfant peuvent être remplacés systématiquement par d'autres événements. La peur est une émotion puissante qui déclenche la réaction défensive de combat ou de fuite.

## 7. LA HONTE

**CE QUE VOUS VOYEZ**
De la contrition. Les yeux de l'enfant regardent vers le bas, ses paupières sont baissées. Le visage est incliné vers le bas et la tête penche dans une posture qui dit : « Je plaide coupable. »

**CE QUE CELA SIGNIFIE**
« Je t'en prie, ne sois pas fâché contre moi. »

**CE QU'IL FAUT FAIRE**
Soyez indulgent et consolez l'enfant, mais essayez de lui transmettre l'idée que certains comportements ne sont pas acceptables.

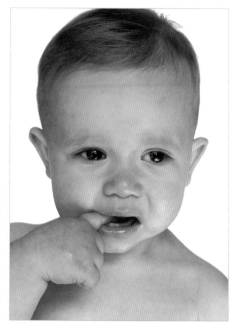

## 8. LE DÉGOÛT

**CE QUE VOUS VOYEZ**
Une langue sortie et une lèvre supérieure saillante. Des yeux plissés sous des paupières baissées. Et l'élément révélateur : un nez plissé et retroussé.

**CE QUE CELA SIGNIFIE**
« Beurk ! C'est répugnant ! »

**CE QU'IL FAUT FAIRE**
On croit que le dégoût est une émotion biologique primitive de protection conçue pour empêcher le corps d'ingérer des substances nocives. Mais ce peut être aussi une réaction particulière de votre bébé à la cuillerée de purée d'épinards qui lui est tendue. Essayez de lui offrir des épinards à un autre repas ou remplacez-les par un autre légume nourrissant.

# 9. LA RÉPULSION

CE QUE VOUS VOYEZ
Un nez retroussé et une lèvre supérieure repliée vers le haut. Bébé détourne la tête de l'objet de désagrément.

CE QUE CELA SIGNIFIE
«Pouah! Ça pue!»

CE QU'IL FAUT FAIRE
On croit que la répulsion, à l'instar du dégoût, est un mécanisme de défense de base qui protège l'enfant contre l'inhalation de substances nocives ou dangereuses. Corrigez le problème si vous le pouvez. Mais si l'odeur provient d'une substance telle qu'un médicament utile ou un aliment nécessaire, vous devrez prévoir le coup.

# DES MAINS ÉPATANTES

## LES MIMIQUES ET LES MOUVEMENTS DES MAINS DE BÉBÉ COMMENCENT À AVOIR UNE SIGNIFICATION

### CE QUE BÉBÉ FAIT
*Il remue les doigts et replie les paumes.*

### CE QUE BÉBÉ VEUT DIRE
*« Regarde mes mains. Je suis en train de te dire quelque chose. »*

### CE QUE VOUS DEVRIEZ VOIR
*Les mouvements des mains commencent à avoir du sens.*

*Âgé d'une semaine, Samuel possède de tout nouveaux jouets. Ce sont ses mains. Il les a découvertes par hasard, mais maintenant il en est ravi. Ces petites paumes fascinantes, avec ces cinq minuscules appendices qui se courbent, se plient et se pelotonnent, intriguent Samuel au plus haut point. Il les relève vers son visage et, parfois, lorsqu'il vise bien, réussit à les placer juste en face de ses yeux. Là, il peut les étudier, les bouger de telle et telle façon, et les soumettre à une inspection approfondie. Il peut aussi y goûter. Il réussit à les porter à sa bouche, parfois après plusieurs tentatives. Il le fera très souvent. Et elles seront pour lui une source inépuisable de divertissement.*

Pour Samuel, ces choses moites, molles et amusantes sont une sorte de miracle. Elles apparaissent devant son visage ou s'introduisent entre ses gencives de leur propre gré. Du moins, des psychologues du développement l'ont déjà cru. Comment une personne âgée d'à peine quelques heures, ayant un cerveau encore en développement, pourrait-elle savoir à quoi servent les mains ? Ou comment Samuel pourrait-il reconnaître ces choses fascinantes comme lui appartenant ? Comment se fait-il qu'un nouveau-né soit capable de coordonner le mouvement de la main et du bras pour agiter sa main devant ses yeux ou la porter à sa bouche ?

La réponse est la proprioception ; elle est congénitale chez le nouveau-né. La proprioception est une qualité mystérieuse et innée que chacun de nous possède, ainsi que de nombreux de nos congénères animaux. La proprioception nous permet de localiser les parties de notre corps, de savoir où elles sont situées dans un mouvement donné, ce qu'elles font, vers où elles se dirigent et comment elles fléchissent et communiquent les unes avec les autres. Il n'est pas nécessaire de regarder ou de sentir les parties de notre corps pour avoir cette information. Nul besoin de vérifier ce que font les bras, les doigts, les omoplates. Pendant que vous lisez ces lignes, vos bras et vos mains tiennent probablement le livre à une portée visuelle adéquate, votre fessier repose sur une chaise, votre tête se tient droite et vos yeux sont dirigés vers la page imprimée. Sans regarder ni y penser, vous connaissez la position de tous vos membres et articulations. En fait, la proprioception est tellement innée et inconsciente que les entraîneurs de remise en forme doivent inciter leurs clients à faire un effort délibéré pour « sentir » la configuration de leur corps.

## DERRIÈRE LES SIGNES

## La main à la bouche

**Un bébé âgé de vingt minutes a été photographié portant une main à sa bouche. Mais, en réalité, la main et la bouche se sont jointes avant cela ; les fœtus sucent leurs pouces ou leurs mains dans l'utérus et certains naissent avec des ecchymoses ou des taches douloureuses aux pouces ou aux poignets. L'affinité main-bouche est apparemment programmée dès le départ : un exemple de coordination complexe. Le bébé bouge sa main vers le haut et ouvre instinctivement sa bouche par anticipation. Lorsque la main approche du but, la bouche s'ouvre plus grande, prête à la recevoir, puis se referme sur la main avec un air de mission accomplie.**

# Votre petit explorateur

Les mains sont à bébé Samuel ce que les voiliers étaient à Vasco de Gama et à Christophe Colomb : un moyen d'explorer les limites extérieures du monde connu. À trois mois, bébé peut saisir des objets qu'on lui tend, et à cinq mois, il peut s'étirer pour les atteindre. Au début, il commence par frôler maladroitement les objets convoités, mais il sera bientôt capable de les tenir avec la paume et le pouce. À sept ou huit mois, il commence à utiliser le pouce et l'index pour une préhension en pince. À douze mois, il maîtrise suffisamment la préhension pour ramasser des objets minuscules. C'est alors que commence l'auto-alimentation. Samuel peut désormais saisir des morceaux de nourriture et les porter à sa bouche. (Ou les rejeter avec dégoût, à votre grande consternation !) Fort de sa capacité d'atteindre et de saisir des objets de façon coordonnée, il peut s'emparer d'objets fascinants et les examiner à fond. Il fait subir à chacun le test à trois volets : le toucher, la vue et le goût. Vous le verrez tenir l'objet, le faire passer d'une main à l'autre comme pour en évaluer le poids, se l'approcher du visage pour un examen plus attentif, puis lui faire subir le test ultime du mordillement. La bouche d'un bébé, déclarait un chercheur dans un langage scientifique, « est le locus primaire d'exploration de l'objet ». Traduction : la bouche est le premier lieu où bébé met des choses pour comprendre ce qu'elles sont. Même les objets non comestibles subissent l'épreuve du goût. Le goût, le toucher et la vue sont des outils coordonnés d'exploration et de collecte d'informations dont se sert le nourrisson.

L'ère des grandes découvertes marque également le début d'une nouvelle étape dans la communication et le langage secret. En trouvant de nouvelles choses à explorer, bébé commence à les tendre aux adultes pour qu'ils les admirent, les nomment et lui expliquent ce qu'elles sont.

C'est la même chose pour Samuel. Il ne sait pas ce que sont ces drôles de choses appelées les mains et il est beaucoup trop jeune pour comprendre le mot. Mais lorsque ses mains bougent devant son visage, il peut détecter qu'elles font partie de lui et sait où elles sont en ce moment. Il sait jusqu'à un certain point qu'elles lui appartiennent. Au départ, leur position semble presque aléatoire : de simples mouvements accidentels. Mais bientôt, il a une certaine maîtrise sur ces choses espiègles. Il apprend à les frapper l'une contre l'autre, à les déplacer pour pouvoir les examiner plus minutieusement, à les mâchouiller, à les goûter. Lorsque Samuel se voit offrir un hochet ou un biberon, il peut se servir de ses mains pour saisir l'objet. Et, finalement, il apprend à utiliser ses mains et ses doigts pour communiquer avec le monde.

## Le premier goût de l'exploration

Un nouveau-né commence rapidement à porter ses mains à sa bouche. Mais à quel moment se rend-il compte qu'il peut utiliser sa bouche pour avoir une meilleure compréhension de l'objet qui se trouve dans sa main ? Philippe Rochat, de l'Université Emory à Atlanta, a tenté de découvrir la réponse à cette question. Il a placé un jouet de dentition en caoutchouc dans la main d'un nouveau-né. Le bébé a porté fréquemment sa main libre à sa bouche et, curieusement, a saisi le jouet de l'autre main tout en l'explorant avec ses doigts, mais il n'a fait aucun effort pour le porter à sa bouche. Rochat a continué à mener l'expérience, mais ce n'est qu'après deux mois que le bébé a commencé à placer le jouet de dentition en face de ses yeux ou à le soumettre à l'épreuve du goût.

## Des faits

*La coordination œil-main, même dans sa forme la plus simple, est une compétence acquise pour bébé. Ce n'est pas avant l'âge de six mois que bébé pourra se concentrer vraiment sur un objet et le saisir avec ses mains – bien qu'il s'entraîne à accomplir cette prouesse depuis l'âge de deux mois.*

**LE LANGAGE SECRET DES BÉBÉS**

Les mains et les doigts, de concert avec les expressions faciales et les pleurs, seront la première ligne de communication de Samuel jusqu'à ce qu'il commence à maîtriser les fioritures de la langue. Même alors, il utilisera ses doigts et ses mains pour souligner ses paroles ou envoyer des messages, et ce, pour le reste de sa vie. Regardez un dîneur affamé appeler un serveur de la main ou deux amis se saluer en s'échangeant une poignée de main. Pourtant, bien avant que ces gestes subtils de la main deviennent routiniers, dès le début de la vie, les mains sont déjà utilisées pour communiquer avec autrui. Présentez un doigt à un nouveau-né et il refermera rapidement ses petits doigts dessus. Des dispositifs d'imagerie qui permettent de voir dans l'utérus ont montré des fœtus qui bougeaient leurs doigts un à un et recroquevillaient leurs mains. Les chercheurs ont même observé que le fœtus tendait l'index comme s'il indiquait quelque événement intéressant ou cherchait à atteindre quelque chose. Il n'est pas certain que ces mouvements puissent être interprétés comme un effort authentique de montrer du doigt ; mais, dans l'affirmative, cela pourrait indiquer que pointer le doigt vers une chose intéressante est une action innée, mais non apprise ni acquise.

## Des faits

*La recherche a démontré que plus tôt un nourrisson est exposé à des objets intéressants, plus vite sa coordination œil-main se développe.*

# LANGAGE DU CORPS 101

## COMMUNICATION PAR GESTES EN AILE DE MOULIN À VENT ET AUTRES MOUVEMENTS

### CE QUE BÉBÉ FAIT

*Il tourne les bras dans un mouvement en aile de moulin à vent.*

### CE QUE BÉBÉ VEUT DIRE

*« Je suis vraiment excité à ce sujet ! »*

### CE QUE VOUS DEVRIEZ VOIR

*Bébé peut désormais anticiper le moment où une bonne chose
(ou une chose désagréable) est sur le point d'arriver.*

*P ar une belle journée ensoleillée, vous traversez la chambre pour aller chercher Alice pour son boire ; le soleil projette votre ombre sur son berceau. Instantanément, vous remarquez un débordement d'activité derrière les barreaux du berceau. Votre petite de deux mois remue les bras, les agite en l'air ; elle n'est pas exactement en train de vous saluer de la main, mais elle fait tourner ses bras comme les ailes d'un moulin à vent. Évidemment, Alice est heureuse de vous voir. Ou, du moins, elle reconnaît que c'est l'heure du repas.*

Ces mouvements de bras en aile de moulin à vent seront la forme tout usage de communication qu'Alice utilisera en position couchée, dans son berceau, et même après, lorsqu'elle pourra se tenir assise et explorer point par point son environnement. En effet, ces mouvements vous révéleront qu'Alice est excitée, heureuse de vous voir, qu'elle applaudit à votre présence et peut-être qu'elle anticipe un repas. Mais d'autres fois, les mouvements en aile de moulin à vent peuvent transmettre un message complètement différent. En particulier lorsqu'ils sont accompagnés d'un visage cramoisi et crispé, ils peuvent indiquer de la frustration, de la peur ou de la surprise. Un bruit fort et soudain peut provoquer des mouvements de bras dans tous les sens et, quand'Alice est vraiment troublée, ses jambes se mettent aussi de la partie. Les quatre membres en action, Alice peut soulever une véritable tempête de protestation.

## Des faits

*Le corps d'un bébé se développe du haut vers le bas, de la tête aux orteils et du torse vers l'extérieur. Remarquez que bébé apprendra à utiliser ses bras avant ses mains et ses mains avant ses doigts.*

La croissance de la musculature de bébé s'opère du haut vers le bas. D'abord, les muscles de la tête et du cou se renforcent et Alice peut soulever sa tête du matelas pour regarder autour d'elle. Ensuite vient le tour des épaules et des bras, puis du tronc et des jambes. Ce n'est qu'à sept mois, quand Alice sera capable de se tenir assise, de déployer entièrement ses bras et de fléchir ses doigts, que la maîtrise totale de ses bras et de ses mains sera possible. Cela fera naître un répertoire de mimiques et de mouvements et un vocabulaire nouveau et amélioré qui enrichiront le langage secret de bébé.

Pendant ce temps, le petit communicateur utilisera ses bras de manière expressive, non plus seulement

en aile de moulin à vent. Frappez dans un poêlon pour le faire retentir près du berceau et – poussant un cri de surprise outragé – la petite Alice, alarmée, est susceptible de serrer ses bras contre son corps et de fermer ses poings, tremblante de peur. La première fois qu'elle voit un nouveau jouet aux couleurs vives, ses bras s'agitent dans une expression de joie pure. Si le jouet tombe hors de sa portée, elle peut marteler le matelas en signe de protestation, tout en pleurnichant. Impatiente de déjeuner, une Alice plus âgée peut frapper à répétition sur le plateau de sa chaise haute.

Ce qu'Alice réussit maintenant à faire avec son corps tout entier indique une autre étape dans sa

## Le moulin tranquille

**Parfois, les bras transmettent un message plus puissant lorsqu'ils sont immobiles que lorsqu'ils bougent. Lorsqu'un enfant est effrayé ou apeuré, il peut serrer ses bras contre son corps en geste d'autoprotection. Les bras peuvent aussi reposer tranquillement le long du corps de bébé lorsqu'il contemple quelque chose de fascinant, comme un rayon de soleil dansant au plafond de la chambre.**

# Bye-bye bébé

**Les premiers mots que bébé comprend peuvent être accompagnés de gestes de la main. Le signe «bye-bye», accompagné de doigts remuants et d'un large sourire, fait très tôt partie du vocabulaire compris. «Dis "bye-bye" à grand-maman» indique à bébé de faire un signe de la main et de sourire. Les mots «coucou me voici!» sont un autre ensemble de paroles qui sont comprises très tôt. Avec le temps et la répétition, un bébé comprend que les paroles peuvent avoir des significations multiples. Le terme «bye-bye» ne veut pas seulement dire au revoir; il signifie aussi que l'on va changer d'endroit: «Il est maintenant temps de dire bye-bye.»**

croissance émotionnelle. Sa mémoire en développement lui permet peu à peu de maîtriser la faculté d'anticipation et d'association. Chaque nouvelle expérience déclenche des souvenirs d'expériences antérieures similaires et amène Alice à anticiper ce qui va advenir. Elle sait que certains événements prédisent des événements futurs. Elle entend le crissement des pneus sur le gravier de l'entrée et le bruit du moteur de la voiture qui s'arrête; elle sait que ces bruits signifient que papa ou maman va rentrer. Instantanément, ses bras potelés s'agitent dans des mouvements en aile de moulin à vent. Certains scénarios d'anticipation et de salutation peuvent être un peu moins appréciés. Quand Alice voit approcher de sa bouche la cuillère contenant un aliment qu'elle n'aime pas, elle peut en anticiper le goût en se souvenant d'une expérience passée, et agiter les bras en face d'elle pour faire front et exprimer un message clair: «Pas question! Je n'en veux pas.»

# DANSONS MAINTENANT

## LE RÔLE DES JAMBES ET DES PIEDS DANS LE LANGAGE SECRET DE BÉBÉ

### CE QUE BÉBÉ FAIT
*Il donne des coups de jambes et de pieds.*

### CE QUE BÉBÉ VEUT DIRE
*« J'ai un message pour toi. »*

### CE QUE VOUS DEVRIEZ VOIR
*Le corps tout entier, y compris la moitié inférieure,
est important dans le langage secret de bébé.*

*V*ous approchez du berceau d'Alexis, deux mois. Il en est maintenant au stade où il est plus éveillé et dort moins. C'est l'état d'« éveil calme », mais les sons provenant du berceau sont tout sauf tranquilles. Bébé ne fait pas que vous sourire, il vous souhaite la bienvenue en tendant ses bras agités et, oui, en se servant aussi de ses membres inférieurs ; en effet, ses jambes et ses pieds, dans leur propre vague de battements et de coups, expriment aussi la joie de bébé. Il est content de vous voir de pied en cap et son langage corporel vous le dit.

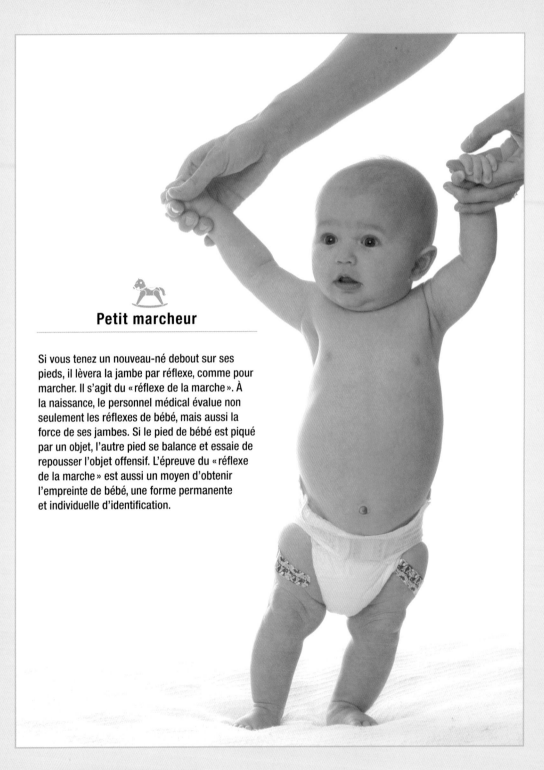

### Petit marcheur

Si vous tenez un nouveau-né debout sur ses pieds, il lèvera la jambe par réflexe, comme pour marcher. Il s'agit du « réflexe de la marche ». À la naissance, le personnel médical évalue non seulement les réflexes de bébé, mais aussi la force de ses jambes. Si le pied de bébé est piqué par un objet, l'autre pied se balance et essaie de repousser l'objet offensif. L'épreuve du « réflexe de la marche » est aussi un moyen d'obtenir l'empreinte de bébé, une forme permanente et individuelle d'identification.

Nous n'imaginons pas que les jambes et les pieds puissent jouer un rôle dans la communication, mais dans le monde sans paroles d'Alexis, ils sont des instruments de communication importants. Bébé les utilise pour transmettre toutes sortes de messages, de plaisir ou de protestation. Même lorsqu'il est un tout nouveau-né, il donne des coups de pied sur le matelas de son berceau en même temps qu'il pousse des pleurs qui disent «J'ai faim». Plus tard, Alexis, huit mois, impatient dans sa chaise haute, reconnaîtra qu'une façon de demander d'être libéré de sa chaise est d'utiliser ses pieds pour attirer l'attention – ses jambes battront du tambour. Un Alexis plus âgé, animé par son premier accès de colère, battra vigoureusement des jambes et des pieds pour informer le monde qu'il a été traité durement et qu'il en est malheureux.

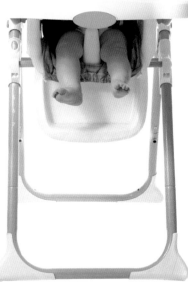

## Test, 1 - 2, test, 1 - 2

Une minute, puis cinq minutes après la naissance, l'indice d'Apgar est évalué chez le nouveau-né. L'indice permet tout simplement de faire une appréciation rapide de l'état du bébé à la naissance. Le bébé est évalué sur une échelle de zéro à deux, dans cinq catégories : le rythme cardiaque, l'effort respiratoire, le tonus musculaire, la coloration de la peau et la réactivité aux stimuli. Le score maximal pour un bébé normal est de dix.

Un score très faible, surtout s'il se répète à la deuxième évaluation, commande une attention médicale immédiate. Cinq minutes après la naissance, un score de quatre à sept n'indique pas qu'il faille prendre des mesures particulières, mais constitue un avertissement aux médecins et aux parents : bébé est à surveiller au cours des prochains jours et des prochaines semaines. Peu de bébés atteignent un score de dix ; un médecin confiait, en plaisantant, qu'il n'accordait un dix qu'aux seuls enfants de ses collègues, par courtoisie professionnelle. La plupart des bébés normaux atteignent un score de huit ou neuf.

## Des faits

*Environ 10 % des bébés font leurs premiers pas à 11 mois, 10 % les feront à 15 mois. Une telle échelle est normale.*

## Des proportions étonnantes !

S'il est vrai que le langage secret de bébé englobe les mouvements de son corps, nous avons vu que les expressions faciales représentent une grande partie des messages envoyés par votre tout-petit. Les proportions du corps de bébé peuvent l'expliquer en partie. Songez qu'un nouveau-né de sexe masculin pèse en moyenne 3400 grammes et mesure 50 cm (le poids et la taille sont légèrement inférieurs chez la fille). Toutefois, la tête du bébé représente un quart de la longueur totale de son corps et un tiers de son poids ! Ces proportions varient de façon constante pendant toute la petite enfance et l'enfance. À l'âge adulte, la tête représente moins de 10 % de la longueur du corps et les jambes en représentent presque la moitié.

Les jambes sont importantes dans la communication d'une autre manière. Chez le nouveau-né, les jambes sont tordues, pliées aux genoux et écartées sur les côtés plutôt qu'allongées droit devant. Essayez de faire se tenir debout Alexis à une semaine et ses jambes vont capituler. À trois ou quatre mois, ses jambes se redressent et, en position verticale, elles peuvent porter son poids. À neuf mois, bébé peut se hisser en position debout et maintenir cette pose pendant quelques secondes. Puis viennent les premiers pas. La marche et la station debout, conséquences de jambes plus fortes, donnent à bébé une nouvelle perspective sur le monde et lui fournissent de nouveaux éléments de communication. Il peut se déplacer vers les objets, les atteindre, les saisir, les scruter, les goûter et se renseigner à leur sujet. Alexis devient une machine à recueillir des données. Un Alexis qui se tient debout ajoute des pages entières de vocabulaire à son langage secret.

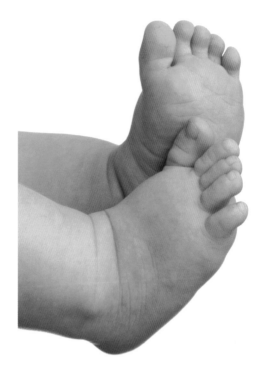

 ## Des faits

**Si le gros orteil de bébé est tendu, les probabilités sont grandes que bébé ressente de la douleur. Si tout le pied est raide et pointe vers le plancher, cela peut indiquer une douleur aiguë. L'inconfort est souvent exprimé par des orteils légèrement repliés.**

Les bras, les jambes et le corps travaillent en synchronie dans le langage secret des bébés. Par exemple, des bras qui s'agitent de colère, des jambes qui donnent des coups de protestation et une tête qui se secoue peuvent, ensemble, communiquer le message : «Je suis furieux au possible et j'en ai ras le bol!» Bien sûr, des mouvements similaires peuvent aussi converger pour exprimer exactement le contraire, le plaisir, la joie et : «Je m'amuse beaucoup!» En bref, le langage vigoureux du corps communique généralement un message passionné, qui peut être aussi bien positif que négatif. En tant que parent ou responsable de l'enfant, vous serez au courant du contexte et, dès lors, serez en mesure de reconnaître l'émotion exprimée, que ce soit de la joie débordante ou de la colère bouillonnante!

# NON, C'EST NON !

## BÉBÉ APPREND À EXPRIMER SES AVERSIONS

### CE QUE BÉBÉ FAIT
*Il détourne la tête brusquement, serre les lèvres et agite les bras.*

### CE QUE BÉBÉ VEUT DIRE
*« Pas question ! Je n'aime pas ça ! Bien… peut-être. »*

### CE QUE VOUS DEVRIEZ VOIR
*Bébé est en train de devenir un véritable individu, avec des préférences et des aversions qui lui sont propres, mais il est disposé à négocier.*

Mélissa, six mois, dit « non ! », absolument « non ! ». Ce n'est pas un « non, merci » ou un « Eh bien, peut-être ; essaie de m'amadouer ». C'est un refus catégorique. « Ne me donne pas une autre cuillerée de cette affreuse purée de petits pois. » « Ne me prends pas pour me mettre au lit. » Mélissa détourne la tête de la cuillère qui avance vers elle ; elle relève le bras pour bloquer cette avancée. Elle serre les lèvres. L'un de ses bras peut frapper la cuillère et en faire tomber le vilain contenu vert.

La première parole exprimée sans équivoque, à la consternation des parents, est très souvent le mot « non ! ». À six mois à peine, Mélissa n'est pas encore en mesure de former cette syllabe. Mais « non » est tout à fait présent dans son langage secret. Ses actions l'expriment clairement. Elle se sert de ses bras, de sa bouche, de ses sourcils et d'expressions faciales pour accentuer la négation. Aucun parent n'a besoin de recourir à un interprète pour comprendre le message. Le sens du « non » se lit sur le visage de bébé.

La réaction de Mélissa est, en fait, une réponse apprise. Presque sitôt nés, les bébés expriment leurs souhaits, leurs préférences et leurs aversions, ce qui leur plaît ou ce qui fait crisper leur visage de dégoût. Le nourrisson apprend tôt qu'un vigoureux pivot de la tête ou un martelage insistant des mains transmet un message qui dit « non ». Il y a des chances pour que maman ou papa éloigne cette cuillère remplie de purée de petits pois. Si cette tactique réussit et que la purée disparaît, bébé est susceptible d'essayer encore et encore. Non, non et non !

Les adultes autour de Mélissa lui apprennent aussi à dire « non ! ». Prêtez l'oreille à ce que vous dites vous-même lorsque bébé atteint un objet interdit ou dangereux et que vous lui lancez vivement un « non ! ». Dans toutes les langues, « non », ou son équivalent, est exprimé avec force, d'un ton rapide et brusque, généralement dans un registre plus grave que la voix normale. Il peut être accompagné d'un hochement ferme de la tête, d'un geste d'avertissement du doigt, ou peut-être d'un froncement de sourcils et d'un resserrement des lèvres. Cette réaction attire l'attention de l'enfant et l'effraie un peu, mais bébé comprend le sens que vous lui donnez. Observez le refus de Mélissa maintenant et vous verrez vos propres expressions se refléter sur son visage.

Le mot « non » lui-même entre généralement dans le vocabulaire parlé de l'enfant vers l'âge de douze mois, mais il sera toujours accompagné d'expressions et de gestes propres au langage secret de bébé.

## DERRIÈRE LES SIGNES

### Connaît-il son nom ?

**Dans le cadre d'une expérience, les chercheuses Roberta Minchnick Golinkoff et Kathy Hirsh-Pasek, ont voulu savoir à quel âge les bébés commençaient à reconnaître leur nom et à y réagir. Elles ont d'abord noté la réponse de chaque bébé lorsque le nom de l'enfant était prononcé. Elles ont ensuite utilisé un autre nom possédant le même accent tonique. Finalement, elles ont utilisé un nom totalement différent de celui de l'enfant. À quatre mois, la plupart des bébés répondaient à leur propre nom; puis au nom possédant le même accent tonique; enfin au nom entièrement différent. À sept mois, ils ne répondaient qu'à leur propre nom.**

Sur le plan du développement, un autre petit pas vient d'être franchi, même si un parent peut ne pas considérer la phase du «non» comme un progrès. Les connexions neurales dans le cerveau du nourrisson se sont perfectionnées, de sorte que Mélissa se voit elle-même comme un individu indépendant, qui a des préférences et des aversions. Elle reconnaît qu'elle est attachée aux personnes qui s'occupent d'elle, mais sait aussi qu'elle est un individu séparé ayant sa propre opinion. Des petits pois? Sa mémoire lui dit que ce truc vert avait mauvais goût et elle établit clairement ce sentiment.

Dans certaines cultures asiatiques polies, dit-on, il existe 100 façons différentes de dire poliment «oui», encore que 99 de ces expressions veulent réellement

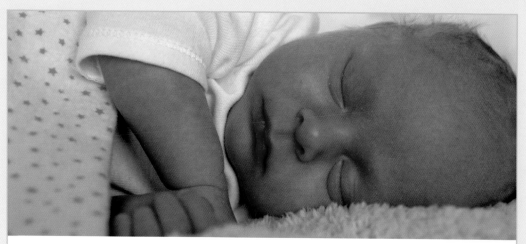

# À la recherche de réponses

Les psychologues Roberta Minchnick Golinkoff et Kathy Hirsh-Pasek sont des collaboratrices de longue date dont les recherches avant-gardistes ont donné lieu à de nombreuses réflexions sur l'élaboration du langage secret des bébés et sur la façon dont ce langage mène à la parole. Roberta Minchnick Golinkoff, professeure à l'Université du Delaware, travaille sur le développement langagier des enfants depuis plus de trente ans. Kathy Hirsh-Pasek, professeure et directrice du laboratoire de langage du nourrisson à l'Université Temple, est aussi chercheuse principale associée dans une étude longitudinale (Study of Early Child Care) menée aux États-Unis et portant sur la façon dont les différentes formes de soins aux enfants peuvent affecter la croissance sociale, émotionnelle et intellectuelle des enfants.

Les deux expertes étaient particulièrement intéressées à découvrir la façon dont les enfants comprennent le langage des adultes avant de pouvoir eux-mêmes parler. Lorsqu'ils commencent à parler, au mieux un seul mot à la fois, peuvent-ils comprendre et suivre des chaînes de mots, et, plus important encore, distinguer les mots ? Savent-ils faire la différence entre « Le vilain monstre chatouille le gros oiseau » et « Le gros oiseau chatouille le vilain monstre » ? Dans une ingénieuse étude des mouvements de la tête où une caméra cachée et deux moniteurs vidéo étaient utilisés, Golinkoff et Hirsh-Pasek ont démontré que les bébés de quatroze mois étaient en effet capables de détecter les différences de sens en tournant leur tête dans la direction de la bonne réponse. Qui plus est, les bébés pouvaient dire à quel moment une phrase se terminait et l'autre commençait, et pouvaient même y repérer les mots clés. Lorsque maman a un long entretien téléphonique avec sa cousine Marie et qu'elle insère les mots : « Il est temps qu'Ariane aille faire sa sieste », Ariane sait ce qui se dit. Kathy Hirsh-Pasek, elle-même musicienne, s'est particulièrement intéressée à la façon dont le rythme et l'intonation aident les enfants à comprendre le discours.

Le livre *Einstein Never Used Flash Cards*, qu'elles ont publié en 2003, décrit la façon dont les enfants apprennent réellement ; elles y dénoncent les efforts peu judicieux que font certains parents pour créer un super-bébé en se servant précocement de méthodes d'« apprentissage ».

dire «non» d'une manière passive-agressive. De même, dans le langage secret des bébés, il existe plusieurs façons de dire «non», mais peu d'entre elles se traduisent par un «jamais» définitif et catégorique. Si la petite Mélissa pouvait le mettre en mots, «non» pourrait signifier plus précisément: «Discutons-en un peu» ou «Pourquoi ne pas nous asseoir et négocier pour voir si nous pouvons arriver à une entente satisfaisante pour nous deux?»

La psychologue du développement Roberta Minchnick Golinkoff, de l'Université du Delaware, a entrepris, en 1985, d'établir le nombre de fois où un «non» apparemment inflexible de bébé pouvait être interprété comme un «discutons-en». Très souvent,

selon elle. On a placé un bébé dans une chaise haute et installé sa maman près de lui; la chercheuse et ses assistants se sont cachés (avec une caméra vidéo) derrière un écran et ont regardé maman servir le repas à bébé. À partir des enregistrements de 93 repas, les chercheurs ont mesuré la fréquence des expressions des mains, des pieds, des bras et du visage de bébé qui transmettaient un «non» lorsque maman offrait à bébé une cuillerée de légumes, de même que les résultats éventuels du «dialogue» entre bébé et maman. Les chercheurs n'ont compté que les épisodes où bébé engageait la «conversation» en montrant du doigt, en faisant des gestes ou en se penchant vers la nourriture.

Dans environ la moitié des cas, bébé acceptait la nourriture à peu près sans rechigner. Dans l'autre moitié, bébé refusait d'abord la cuillerée. Maman ne comprenait pas le message, choisissait de mal comprendre ou persistait à offrir la nourriture non désirée. Bébé essayait toujours de refuser, en utilisant d'autres techniques, que Roberta Minchnick Golinkoff a classées comme suit :

Répétition (13 % des épisodes) : bébé répétait le même signal, en général avec un peu plus d'insistance.

Augmentation (11 % des épisodes) : bébé essayait des signaux supplémentaires (en se penchant vers la nourriture, en gémissant et se tortillant dans sa chaise haute) pour s'assurer que maman avait compris.

Substitution (11 % des épisodes) : au lieu du menu initial, bébé indiquait un deuxième choix – un biberon ou de la purée de bananes à la place des légumes.

Dans 14 % des épisodes, bébé rejetait catégoriquement toutes les offres.

Le processus de négociation commençait alors. Les deux parties maintenaient la communication dans l'espoir de trouver un terrain d'entente, un peu comme du marchandage politique. Finalement, bébé était entendu. Dans 58 % des cas où bébé a d'abord refusé, il a gagné et maman a posé sa cuillère. Dans 5 % des cas, les deux parties ont transigé ; bébé a accepté de manger un peu des légumes redoutés et maman a accepté de lui servir un biscuit. Dans 7 % des cas, maman a abandonné les légumes et les a remplacés par un plat plus agréable, comme de la purée de bananes. Dans 18 % des cas, c'est bébé qui a choisi un substitut, acceptant la purée de pêches au lieu des petits pois. Et dans les autres cas, bébé a capitulé. Selon Roberta Minchnick Golinkoff, les deux parties ont reconnu qu'elles allaient négocier à nouveau un autre jour. Ne vous laissez pas décourager par toute cette négativité. Naturellement, les bébés disent souvent « oui » aussi, mais dans un style différent. Un sourire chaleureux suffit habituellement à exprimer un « oui ».

# JOUONS !

## LEÇONS SUR LA PERMANENCE DE L'OBJET AVEC « COUCOU ME VOICI ! » ET « J'VAIS T'ATTRAPER ! »

### CE QUE BÉBÉ FAIT
*Il couvre son visage avec une couverture,*
*qu'il retire ensuite brusquement en jubilant.*

### CE QUE BÉBÉ VEUT DIRE
*« Je te vois ! C'est amusant… Faisons-le encore ! »*

### CE QUE VOUS DEVRIEZ VOIR
*Bébé a maintenant compris que vous êtes là,*
*même lorsqu'il ne peut pas vous voir.*

*Rigolo ! Jasmine, espiègle, lève sa « doudou » sur son visage et cache ses yeux, puis la retire brusquement dans un cri de triomphe. Vous lui dites « Coucou ! Je te vois ! » pour provoquer d'autres éclats de rire. Puis vous inversez les rôles. Vous levez la couverture devant votre visage, la maintenez en place pendant que Jasmine glousse d'anticipation. « Où est Papa ? » Puis vous la retirez d'un coup sec. « Coucou ! » Bébé glousse de plus belle. Jasmine, les yeux joyeux et grands ouverts, les sourcils relevés, joint les mains dans une sorte d'applaudissements. Tu vois, je t'ai trouvé et tu m'as trouvée.*

Adam et Ève ont très probablement joué à «Coucou me voici!» avec Caïn et Abel. Sans doute le plus ancien jeu parent-enfant, c'est un jeu qui traverse les siècles, les cultures, les nations et les langues. Des chercheurs ont retrouvé des versions documentées de ce jeu chez des insulaires du Pacifique, des Inuits dans l'Arctique, des nomades de Mongolie et des Chinois.

«Coucou me voici!» peut être un soutien amusant dès l'âge de quatre mois, mais il représente plus qu'un simple jeu agréable. Il met également en évidence une leçon importante sur le développement mental de votre enfant. Avant cet âge, les bébés sont perplexes, parfois bouleversés, lorsque leur ourson en peluche ou leur maman disparaît de leur champ de vision. L'ourson et maman ont complètement disparu de l'écran radar du bébé. Où sont-ils allés? Reviendront-ils? Existent-ils encore?

# DES MAINS PLEINES DE POUCES

## BÉBÉ INVENTE UN JEU
## POUR GARDER VOTRE ATTENTION

### CE QUE BÉBÉ FAIT
*Il jette un objet par terre et attend que vous le ramassiez.*

### CE QUE BÉBÉ VEUT DIRE
*« Je m'ennuie. Jouons ! »*

### CE QUE VOUS DEVRIEZ VOIR
*Bébé apprend à manipuler votre comportement.*

**U**n matin, Charles, sept mois, fait tomber sa tasse du plateau de sa chaise haute. Il pousse des pleurs d'angoisse caractéristiques. Une maman alarmée entend les pleurs de panique, constate le problème et, roucoulant des sons rassurants à l'oreille de bébé, remet rapidement l'objet perdu à son propriétaire contrarié. Avant que Charles n'ait pu empoigner fermement sa tasse, celle-ci lui glisse des mains et tombe de nouveau par terre. Encore des pleurs. Maman revient, récupère le trésor tombé par terre et le remet à bébé. Elle lui gazouille encore des mots rassurants.

Les gémissements cèdent le pas aux sourires. «Hé, c'était amusant! Super jeu! Je le laisse tomber, elle le ramasse. Je le laisse tomber, elle le ramasse encore.» Éclats de rire à chaque séquence de jette-ramasse-jette-ramasse. Chaque ploc que fait la tasse en touchant le plancher est accueilli par une cascade de mouvements qui montrent que Charles a beaucoup de plaisir. Il agite joyeusement ses bras menus, donne des petits coups de pied contre sa chaise et rejette la tête vers l'arrière dans un rire rauque. Ce qui a commencé accidentellement devient un peu plus réfléchi, même sournois. Charles n'est pas seulement en train de s'amuser, il a trouvé un moyen de retenir l'attention sans partage de sa maman. Et tout cela d'un simple mouvement du bras: on n'a qu'à allonger le bras, ouvrir les doigts et laisser tomber l'objet. Message reçu. Le jeu continue de plus belle, jusqu'à ce que la patience de maman atteigne ses limites ou que Charles s'ennuie et veuille cesser de jouer.

 *Des faits*

**Tout objet attaché au cou ou au poignet de bébé présente un risque d'étranglement. Même si vous êtes tenté d'opter pour cette solution après avoir ramassé l'objet tombé par terre pour la énième fois... abstenez-vous!**

## La fin justifie les moyens

Dans son livre *Diary of a Baby*, le psychologue Daniel N. Stern décrit la façon dont un bébé de quatre à six mois reconnaît son pouvoir d'influencer les événements à sa guise et ourdit ensuite des stratégies pour provoquer de tels événements. L'enfant observe ce qui se passe lorsqu'il effectue, même par inadvertance, une action donnée qui amène une réponse qui lui plaît. Alors il essaie de nouveau, cela fonctionne et le schéma stimulus-réponse (l'ensemble des mouvements) est gravé dans son cerveau. Plus tard, il sera en mesure de formuler cette séquence avec des mots. Mais pour l'instant, il s'agit de signaler ses désirs par un langage corporel qui dit clairement: «Hé, maman, amusons-nous!»

Ce petit bout de langage corporel comporte une communication évidente: «Hé, maman, viens par ici. Viens jouer avec moi.» Ce message est très familier (parfois trop familier) à presque tous les parents. Mais il se passe ici plus qu'une simple invitation à jouer. Cette manifestation sportive à la petite semaine marque une étape importante dans le développement de Charles. Son langage corporel démontre trois choses sur sa croissance.

Premièrement, son corps révèle que Charles reconnaît maintenant que, lorsque des objets ou des personnes disparaissent de sa vue, cela ne signifie pas qu'ils sont perdus à jamais. Avant l'âge de quatre à six mois, c'est tout le contraire qui se passait. Lorsque maman ou cette précieuse tasse disparaissait, même momentanément, dans l'esprit de Charles, maman ou l'objet avait disparu à tout jamais. La faculté de comprendre que les choses ont une présence, même lorsqu'elles sont absentes, faculté pleinement acquise vers l'âge de sept mois, est une étape importante dans la croissance d'un bébé. Pensez à ce que cela signifie dans votre propre vie d'adulte. Vous voulez avoir la certitude que les personnes ou les choses sont stables, même lorsqu'elles sont en dehors de votre écran radar.

# Bébé tient bon

Les bébés agitent leurs bras tôt, mais les véritables mouvements coordonnés ne commencent pas avant trois mois environ. C'est à cet âge que la petite Julie peut saisir son biberon. À quatre mois, elle peut tendre son bras avec passablement de précision pour empoigner le biberon. Un mois plus tard, elle peut maîtriser les mouvements de ses bras et de ses doigts suffisamment bien pour saisir de petits objets, comme sa sucette ou des morceaux de nourriture. Laisser tomber les objets (et les lancer) est un jeu qui viendra plus tard.

Deuxièmement, sa gestuelle démontre que Charles a acquis une coordination qu'il n'avait pas à cinq mois. Il faut une coopération complexe entre le système nerveux central, le système nerveux périphérique, le cerveau et les nerfs qui commandent les muscles, en plus d'une habileté de l'œil et de la main, pour guider la tasse depuis le plateau de la chaise haute jusqu'au plancher de la cuisine. Charles a maintenant assez de coordination pour saisir la tasse, tendre un petit bras, quoique maladroitement, calculer la trajectoire de la chute probable de la tasse, ouvrir le pouce et les doigts pour lâcher prise, suivre des yeux l'objet qui tombe, puis ponctuer toute la scène d'un gémissement ou un ricanement qui veut dire : « Maman, viens ici ! »

Troisièmement, Charles a maintenant appris (peut-être pendant que maman fronçait les sourcils ou plissait le front) qu'il peut influencer les personnes et les objets autour de lui. Il peut faire bouger les

choses. Il peut élaborer un plan comprenant des étapes multiples et espérer qu'il fonctionne : « Si je fais ceci, maman fera cela, alors je ferai ceci. » Des étapes calculées. Un plan simple par rapport aux normes des adultes, mais tout de même un plan reconnaissable.

En outre, Charles développe maintenant sa mémoire, tant à court terme qu'à long terme. Selon certaines idées reçues, les bébés de moins de douze mois ne pourraient se rappeler ce qui s'est passé il y a quelques minutes, encore moins ce qui s'est passé il y a quelques jours. La tasse tombée par terre serait partie, disparue, perdue à tout jamais ; le jeu de mardi serait oublié mercredi. Selon ce point de vue sceptique, la mémoire ne se formerait que lorsque les bébés ont quelque chose à se rappeler. Toutefois, des faits scientifiques modernes démontrent le contraire. Dans le cadre d'une expérience originale, un scientifique de l'Université de

Washington a montré à des bébés de douze mois une boîte captivante. Le scientifique touchait la boîte avec son front et la boîte s'allumait. Mais il n'a pas laissé les bébés toucher la boîte. Une semaine plus tard, il a remis la boîte aux bébés, mais n'a lui-même rien fait avec la boîte. Devinez ce qui s'est passé. Les bébés ont tout de suite touché la boîte avec leur front, comme s'ils étaient impatients de voir cet objet étrange s'illuminer comme la semaine précédente.

Il existe une contrepartie à ce volet du langage du corps qui n'est pas toujours aussi charmante. Les bébés se servent souvent de ce qu'ils ont appris pour attirer l'attention de leur entourage immédiat. Le jeu de Charles en est un exemple parfait. Ici, son message n'est pas : «Oh, comme je suis maladroit ! J'ai encore perdu ma tasse. Je n'arrive pas à la tenir.» C'est plutôt : «Maman fait tous ces trucs ennuyeux et elle m'ignore. Je veux qu'elle vienne jouer avec moi. Je suis seul depuis assez longtemps.» Tout cela est très habilement pensé par votre stratège en herbe !

«Que doit faire une maman dans ces cas-là ?» : telle est la question séculaire. Naturellement, maman pourrait se sentir un peu exaspérée que le jeu continue encore et encore, et qu'il se répète chaque fois qu'elle assoit bébé dans sa chaise haute. Retirer complètement la tasse n'est pas une solution, car cela provoquera d'autres cris de colère. Alors pourquoi ne pas retirer bébé ? Peut-être serait-il temps de donner un bain à Charles, ou de lui faire prendre l'air dans la cour arrière, ou encore de le distraire avec un biscuit. Compte tenu de la durée limitée du champ d'attention d'un bébé de sept mois (la meilleure estimation l'établit à deux minutes), l'attrait que présente le jeu de la tasse jetée par terre sera bientôt oublié, mais pas pour longtemps. Surveillez le plateau de la chaise haute demain !

# AU-DELÀ DES AREU AREU

## LE VRAI SENS DU BABILLAGE INTERNATIONAL

**CE QUE BÉBÉ FAIT**

*Il émet un son comme «babababa».*

**CE QUE BÉBÉ VEUT DIRE**

*« Test, 1-2, test, 1-2 »*

**CE QUE VOUS DEVRIEZ VOIR**

*Ne vous faites pas d'illusion : il n'essaie pas encore de dire «papa».*

À côté de papa, Sarah est assise dans sa chaise haute et s'adresse au monde. Elle balbutie de longues chaînes de sons qui ressemblent vaguement à la parole humaine. Ce n'est pas si exceptionnel : elle roucoule, gazouille et gargouille presque depuis sa naissance. Puis elle a émis quelques grognements. À environ cinq mois, elle est passée à des sons de voyelles longs et pénétrants : « iii-iii-iii » et « ooo-ooo-ooo ». Récemment, elle a introduit des consonnes dans son répertoire : « dadada » et « nanana ». Ce soir, elle en a ajouté une autre : « bababa ». Fier et excité, le père de famille bondit. « L'avez-vous entendue ? Elle a dit "papa" ! Elle me reconnaît ! Son premier mot ! » Et le voilà en train de téléphoner à grand-maman pour lui annoncer la fantastique nouvelle.

# Babillage interculturel

Les bébés babillent dans tous les pays, pourtant leur babillage diffère selon la langue maternelle. Dans le cadre d'un essai, des expérimentateurs français ont écouté babiller des enfants de foyers anglophones et de foyers francophones. Les expérimentateurs pouvaient facilement différencier les jaseurs francophones des jaseurs anglophones en notant le rythme et l'intonation de leur babillage. Les voix de bébés francophones, comme chez les adultes francophones, avaient des inflexions ascendantes à la fin d'une « parole ». Chez les bébés anglophones, les paroles avaient tendance à se terminer par des inflexions adoucies et descendantes.

Malheureusement, la joie de papa est sans doute un peu prématurée. À compter de quatre à cinq mois, Sarah et ses contemporains produisent des cascades de vocalises qui ressemblent au discours humain, mais qui, hélas, n'ont pas de sens. Le terme technique (et aussi commun) est «babillage», dérivé du mot Babel – la fameuse tour biblique où il y avait beaucoup de sons, mais pas de compréhension. Sarah babille jour et nuit : vous pouvez l'entendre dans son berceau, la nuit, cracher des voyelles et des consonnes. Elle n'est pas la seule. Les bébés dans toutes les cultures commencent à babiller presque exactement au même âge.

Les chambres d'enfants au Royaume-Uni, en France, au Japon et en Allemagne résonnent du babillage de bébés. En fait, même les enfants profondément sourds babillent, même s'ils n'ont jamais entendu de discours oral. Ils babillent d'abord vocalement, mais, ne recevant aucune réponse, ils abandonnent le babillage vocal. Ils commencent alors à babiller avec leurs mains, comme le font les adultes qui utilisent la langue des signes.

## DERRIÈRE LES SIGNES

### Ce fier papa

**Selon les scientifiques qui étudient les origines du langage humain, le premier mot à avoir été prononcé par les bébés de l'âge de pierre fut fort probablement «papa». Les chercheurs croient que le mot peut avoir été transmis de génération en génération à partir d'une «protolangue» parlée par tous les humains il y a 50 000 ans. Toutefois, d'autres linguistes respectés soutiennent que «papa», «dada» et «mama» sont des termes courants dans de nombreuses cultures tout simplement parce que ce sont les premiers sons balbutiés par les bébés. En fait, le mot «papa» existe dans près de 700 langues parmi les 1000 langues parlées dans le monde ; dans 71 % des cas, il fait référence soit au «père», soit à un parent de sexe masculin du côté du père.**

### Des faits

*Les bébés acquièrent la capacité de vocaliser à des rythmes différents. Par exemple, environ 10 % des bébés commencent à gazouiller au cours de leur premier mois de vie, tandis que 10 % ne commenceront pas avant trois mois. Sur le plan du développement, tous ces bébés sont normaux.*

Le babillage est une forme de préparation à l'art de la parole. À l'instar des nombreux autres stades de développement chez l'enfant, il découle de modifications anatomiques et neurologiques. La cavité buccale du nouveau-né, sa «boîte vocale», est large et peu profonde; les sons qui en sortent sont des gazouillis. Progressivement, elle s'allonge et se rétrécit, ce qui permet une plus grande poussée et une maîtrise accrue des bouffées d'air ascendantes propulsées à travers les cordes vocales. Les lèvres, la langue et les muscles faciaux se développent aussi, ce qui facilite la formation du son. Pendant ce temps, bébé commence à reconnaître la vocalisation comme étant la manière dont ces êtres «comme moi» communiquent les uns avec les autres; il essaie de les imiter.

Mis à part les sons de voyelles «iii» et «ooo», les premiers sons produits par les bébés ressemblent aux consonnes *b, d, m, n, w* et *j*. C'est parce qu'elles sont formées avec les lèvres et le bout de la langue, qui sont des parties du corps familières à bébé en raison des mouvements de succion qu'il connaît bien. Les bébés ont tendance à les enchaîner pour former de longs «babababab» et «dadadadada». Le babillage n'a pas de signification, pas même pour le bébé, et est susceptible d'être ponctué de changements brusques de volume et de hauteur.

*Des faits*

*Selon les experts, un bébé moyen prononce pour la première fois un «vrai» mot ayant une signification entre l'âge de dix et quatroze mois. Cependant, le moment où cette étape survient, dans un contexte de développement normal, peut se situer dans une tranche d'âge beaucoup plus étendue.*

répondre à bébé. Il n'est pas nécessaire de répéter ses sons ou de faire semblant de les comprendre; répondez, plutôt, simplement pour fournir à bébé une rétroaction et lui faire savoir qu'il est sur la voie de la communication. Les bébés qui babillent avec des adultes qui leur répondent régulièrement apprennent généralement à parler plus tôt que leurs pairs et ont tendance à utiliser plus de mots. Les bébés qui reçoivent peu de rétroaction sont plus lents à verbaliser et peuvent même régresser dans leurs stades de développement.

Bébé expérimente différentes hauteurs et intonations et apprend à crier et à chuchoter. Le babillage répétitif cède ensuite la place au babillage varié, dans lequel les différentes syllabes sont mélangées de diverses façons : «ba-di-ti-ga» ou «ma-mi-ba». Et, parfois, un «vrai» mot reconnaissable émerge ou, du moins, les parents aiment le croire.

Bien que le babillage ne contienne pas de mots, bébé imite la manière dont un adulte parle. Ses vocalisations montent et baissent comme dans le discours des adultes et bébé fait une pause, après un torrent de syllabes, pour attendre une réponse de son interlocuteur. En fait, il est susceptible de regarder son interlocuteur droit dans les yeux afin de lui faire savoir qu'une réponse est attendue. Parfois, la chaîne de syllabes a une inflexion ascendante à la fin, comme si bébé posait une question. À un an, bébé connaît trente sons distincts. Il peut reproduire tous les sons de voyelles et environ la moitié des consonnes de sa langue maternelle. Il est particulièrement important à ce stade de

# REGARDE LÀ-BAS !

## BÉBÉ EXPRIME SES PENSÉES EN MONTRANT DU DOIGT

### CE QUE BÉBÉ FAIT
*Il allonge un bras et tend l'index.*

### CE QUE BÉBÉ VEUT DIRE
*« Regarde ce jouet/chien/gâteau/ballon… »*

### CE QUE VOUS DEVRIEZ VOIR
*Bébé fait ses premières « vraies » déclarations.*

*J**ulie, dix-neuf mois, est assise dans sa chaise haute. Elle ramasse, un par un, des morceaux de biscuit qu'elle croque entre ses six dents flambant neuves. Puis, par la fenêtre de la cuisine, elle voit passer un camion. Distraite et excitée, Julie abandonne les morceaux de biscuit et pointe son doigt potelé avec enthousiasme vers le camion de livraison du courrier, qu'elle voit passer tous les jours. « Regarde ! » s'exclame le doigt tendu, accompagné d'un torrent de babillage. « C'est le facteur ! Mon ami le facteur ! »*

# Tout le monde s'exprime par gestes, d'une manière ou d'une autre

**Montrer du doigt pour communiquer est un geste qui se pratique dans la plupart des cultures, mais ce geste ne se fait pas toujours avec l'index. Les Philippins, par exemple, sont susceptibles de se servir de leur menton pour « montrer du doigt » : ils étirent leur cou et projettent leur menton vers l'extérieur et vers le haut pour indiquer une direction. Les enfants australiens se servent de leur majeur pour montrer du doigt. Les gens « pointent » aussi avec leurs yeux, leur tête, leurs coudes ou même leurs pieds. Des chercheurs italiens ont enregistré six formes différentes de pointage, y compris avec l'index et avec toute la main. Dans de nombreuses cultures, les gens pointent avec les lèvres. Certaines tribus au Ghana tendent une lèvre, ou les deux, pour indiquer une direction.**

Montrer du doigt est l'outil principal de communication du nourrisson pendant les premiers mois de vie. C'est aussi un outil tout usage. Bien avant la parole, le geste de montrer du doigt (souvent accompagné de babillage) exprime toutes sortes de choses : besoins, intérêts, vues intrigantes, attentes, amitié, curiosité. C'est de cette façon que Julie reconnaît le monde au-delà d'elle-même et communique avec les autres. Le doigt tendu (et son message qui dit « Regarde ce que je vois » ou « Voici ce que je pense ») va rapidement devenir le pilier de son « vocabulaire » et la forme la plus utilisée de son langage secret. Ce doigt tendu est aussi un outil social. Le doigt dit aux personnes autour de bébé : « Voyez-vous ce que je vois ? »

Le doigt tendu constitue également une avancée dans le développement communicatif du nourrisson. Pour la première fois, la communication devient une affaire à trois volets, qui concerne Julie, son « interlocuteur » et l'objet ou la personne en cause. Les scientifiques appellent cette communication une « triade ». Depuis sa naissance, Julie était liée à sa mère (scientifiquement parlant) par l'intersubjectivité.

# Les chimpanzés montrent-ils du doigt ?

Oui, les chimpanzés montrent du doigt, selon des chercheurs qui ont enregistré sur bandes vidéo des primates montrant des objets du doigt. On peut y voir clairement des chimpanzés tendre leur index dans la direction de la nourriture désirée. C'est un message qui dit : « Donne-moi ceci » : un exemple évident de pointage impératif. Clint, un chimpanzé de quatroze ans, a été vu à plusieurs reprises en train de faire des mimiques en direction d'un morceau de nourriture qui était tombé au sol, puis vérifier visuellement si le gardien avait reçu le message.

Il convient de noter, toutefois, que Clint et les autres primates qui semblent communiquer sont des chimpanzés en captivité ; ils ont été formés et encouragés à montrer du doigt, et sont récompensés lorsqu'ils le font. Et ils ne montrent du doigt que pour faire des demandes à leurs gardiens ; personne ne les a vus montrer du doigt entre eux, ni chercher à attirer l'attention de leurs congénères sur quelque objet mutuellement intéressant. Même pour les chimpanzés captifs, montrer du doigt n'est pas un geste qui semble leur venir naturellement ; ils sont lents à inter-

préter le sens de ce geste lorsqu'il est fait par d'autres. Dans le cadre d'une expérience, les chercheurs ont pointé à plusieurs reprises le doigt vers un emplacement où une friandise était cachée ; il a fallu de nombreux essais pour que les chimpanzés localisent la friandise, et peut-être l'ont-ils trouvée par simple jeu d'essais et erreurs.

D'après l'opinion générale, les chimpanzés dans la nature ne montrent pas du doigt. Après avoir passé en revue six cents heures d'enregistrement vidéo d'une colonie de chimpanzés d'Afrique, les scientifiques n'ont constaté que vingt-et-un cas où les chimpanzés ont vraisemblablement montré du doigt pour attirer l'attention sur une cible précise. Le consensus se fait autour de l'idée que les chimpanzés ne montrent pas du doigt de façon délibérée, contrairement aux bébés humains. Le « pointage » comme outil de communication est largement considéré comme une aptitude unique à l'homme, tout comme la parole. Cela étant dit, les études sur les chimpanzés montrant du doigt se poursuivent et le problème n'est pas entièrement résolu.

Elle et sa mère sont maintenant passées à une nouvelle étape appelée l'intersubjectivité secondaire : d'autres personnes et d'autres objets sont incorporés dans leur sphère de contemplation. Désormais, Julie va communiquer sur des sujets en dehors d'elle-même (le facteur, le camion de pompier, l'ourson en peluche), ainsi que sur ses propres besoins. Cette étape marque le début de la communication adulte au sens adulte du terme et reflète effectivement la nature même de la communication. De quoi parlent les adultes, si ce n'est des choses et des personnes qui leur sont extérieures ?

Les nourrissons du monde entier commencent à montrer du doigt vers l'âge de neuf mois, une fois qu'ils sont capables de se tenir assis et de remarquer l'univers fascinant qui les entoure. Cho-Lin, à Beijing, pointera son doigt vers un jouet ou grand-maman à peu près au même âge de développement que Lars, à Stockholm, ou que Cecilia, aux Philippines. Même les enfants sourds commencent à montrer du doigt vers le même âge.

Le regretté George Butterworth, de l'Université du Sussex en Angleterre, qui, toute sa vie, a axé sa recherche sur le lien entre le geste et le langage, a conclu que la capacité de montrer du doigt dans un but donné est innée chez l'homme. À l'instar de la parole, montrer du doigt est une compétence qui nous différencie des autres animaux. En effet, certaines images d'échographie semblent indiquer que les fœtus tendent leur index dans l'utérus. Des scientifiques britanniques ont filmé des bébés qui, dès l'âge de deux semaines, utilisaient leur index de façon indépendante. Le doigt se tend dans une position droite, tandis que les autres doigts se referment. D'autres scientifiques contestent l'hypothèse selon laquelle ces bébés montrent réellement du doigt ; ce geste pourrait n'être que le reflet de la découverte fascinante que le nourrisson fait de ses propres mains. À cinq mois, bébé montre du doigt de façon rudimentaire, au moment où il commence à atteindre les objets ; à huit ou neuf mois, son doigt commence vraiment à viser un objet ou une personne.

Le «pointage déclaratif» est le terme que les chercheurs utilisent. Le petit index de Julie fait une déclaration : «C'est mon ami le facteur!» ou «C'est mon polichinelle!». Ou, parfois, le bras replié, Julie braquera son doigt sur le camion-jouet ou sur un bloc de couleur qu'elle voudrait admirer. «Tu vois, maman?» Montrer du doigt requiert également un public, quelqu'un avec qui partager l'excitation de la découverte; c'est de cette manière que la petite fille intègre un cercle social. Les bébés ne montrent jamais du doigt lorsqu'ils sont seuls, selon les enregistrements vidéo scientifiques épiant leurs moindres gestes. À quoi bon indiquer un spectacle merveilleux lorsqu'il n'y a personne dans les alentours pour s'en apercevoir? En montrant du doigt, l'enfant veut communiquer à quelqu'un ce qu'il a vu. Il n'est pas nécessaire, cependant, que le public soit adulte. Les nourrissons montrent souvent du doigt pour attirer l'attention d'autres enfants. Les jumeaux montrent systématiquement du doigt au profit l'un et l'autre, sans tenir compte du public adulte.

Le pointage déclaratif constitue un grand pas vers le développement du vocabulaire; il permet au langage de bébé d'être un peu moins «secret». Lorsque bébé (ou vous-même) montre du doigt l'animal de compagnie de la famille, vous dites : «toutou». Ou lorsqu'un oiseau motorisé dans le ciel attire son attention, vous dites : «avion». Lorsque Julie montre du doigt un jouet attrayant hors de sa portée ou à l'extérieur de son parc, vous prenez le jouet et dites : «Ah, tu veux le bloc?» Ou, de manière plus créative, vous «comprenez mal» le message. «Tu veux l'ourson en peluche?» dites-vous en tenant l'ourson. Ferme hochement de dénégation. «Ah, la boîte à musique?» Autre dénégation frustrée. «Alors tu veux le bloc?» Un sourire rayonnant indique un triomphe! Julie a enfin mis la main sur ce bloc désiré et, en même temps, a appris deux nouveaux mots.

 ## Des faits

**Les filles, en moyenne, prononcent leur premier mot trois semaines plus tôt que les garçons; elles apprennent aussi plus tôt à communiquer en montrant du doigt.**

# UN AUTRE MESSAGE AU BOUT DES DOIGTS

## BÉBÉ FAIT SES DEMANDES ET SES REQUÊTES EN MONTRANT DU DOIGT

**CE QUE BÉBÉ FAIT**
*Il tend le bras et l'index et crie.*

**CE QUE BÉBÉ VEUT DIRE**
*« Apporte-moi ça ! »*

**CE QUE VOUS DEVRIEZ VOIR**
*Bébé exprime ses premières
vraies requêtes et demandes.*

Un jour, Jérémie, neuf mois, devenu habile à montrer du doigt, dévoile un nouveau tour. Selon la bonne vieille méthode, il pointe son index vers un objet fascinant. Mais, cette fois, Jérémie n'est pas en train d'exprimer son intérêt ou sa curiosité, ni de démontrer son sens de l'observation aigu. Il crie et montre du doigt ; vous, son « identificateur », ramassez consciencieusement ce qui semble être la cible visée par le doigt et dites : « Oui, c'est le ballon de ton frère. » Jérémie continue à crier et à pointer son doigt vers l'objet, en sursautant pour accentuer son geste. Perplexe, vous reprenez l'objet et dites « ballon ». Jérémie lance des cris de protestation impatients et tend les bras en gesticulant.

spectateur de son environnement, il peut diriger, voire manipuler, les personnes et les choses qui l'entourent. Lorsqu'il se contentait de faire des déclarations sur le ballon ou l'ourson en peluche, il vous arrivait parfois de lui apporter l'objet. Maintenant, il comprend qu'il peut faire en sorte que cela se reproduise chaque fois, en montrant du doigt, en utilisant un contact visuel et en poussant quelques gazouillis. Lorsqu'il veut quelque chose, il peut le «demander» avec son doigt et il obtient des résultats. Bien sûr, la stratégie de montrer du doigt pour communiquer a le défaut de manquer de précision. Le doigt qui pointe n'indique pas précisément ce que bébé désire; il ne désigne que l'endroit où l'objet se trouve. Alors c'est à vous de deviner. «Tu veux ceci? Ou cela?» Bébé peut devenir de plus en plus impatient en attendant que vous ayez fait le bon choix. Nommer l'objet désiré ne constitue pas toujours la réponse appropriée à la demande. La curiosité de bébé n'a pas de répit. Il ne veut pas seulement connaître le nom de l'objet; souvent, il veut savoir comment l'objet fonctionne. La question fondamentale «Qu'est-ce que c'est?» fait partie de la première manifestation du langage des bébés dans tous les pays, selon des spécialistes en linguistique, mais cette même question non verbale peut également se traduire par «À quoi cela sert-il?» Vers le dixième ou onzième mois de vie, la maturation des différentes parties du cerveau de Jérémie permet à bébé d'adopter des formes plus complexes de comportement. Dès le début, la plus grande partie de l'activité cérébrale de Jérémie est déclenchée dans le cortex moteur. Cette région basique envoie des messages aux bras, aux jambes et aux autres parties du corps, ce qui entraîne des mouvements et d'autres actions importantes. Les activités plus ou moins involontaires de bébé n'engageaient que peu de réflexion ou de planification, au sens adulte du terme. Mais, avec le développement des lobes préfrontaux (la partie «logique» du cerveau), Jérémie est devenu capable de planifier une action, d'influencer la réaction des autres, d'anticiper un résultat, de regarder

Il ne veut pas se contenter de voir le ballon dans le fond de la chambre. Il veut le saisir, l'examiner sous toutes les coutures, le renifler et le tenir dans ses mains potelées. Entendre nommer le mot «ballon» ne lui suffit plus. Il veut voir de près et toucher l'objet. «Apporte-le-moi!» dit ce doigt insistant. Enfin, vous comprenez et tendez à bébé l'objet convoité.

Jérémie est maintenant passé du stade du «pointage déclaratif», qui constitue une déclaration, à celui du «pointage impératif» ou «pointage de requête». Le «pointage impératif» marque un jalon important dans le développement et l'individualité de bébé. Maintenant, au lieu d'être simplement le

# Avions-nous tout faux ?

Selon une école de pensée scientifique, l'enfant commence à montrer du doigt par accident. Montrer du doigt résulterait d'une sorte d'échec : vers l'âge de quatre mois, les bébés commencent à atteindre et à saisir les objets. Mais parfois, l'objet est hors d'atteinte ou bébé est incapable de le saisir. Un adulte qui assiste à l'échec interprète le bras tendu comme désignant l'objet ; il remet donc l'objet à l'enfant. Ainsi, par la suite, l'enfant fait des mimiques devant un objet et réussit à l'obtenir.

se dérouler l'action comme prévu, puis de la répéter. Ses actions commencent à avoir un but ; bébé fait maintenant beaucoup de choses intentionnellement plutôt que par réflexe ou par habitude. Jérémie est assurément plus qu'un simple spectateur maintenant : c'est un joueur.

Sa capacité à communiquer le message « Apporte-moi cela » marque une nouvelle avancée importante dans la vie de Jérémie. Il a maintenant une mémoire à part entière. Les parents d'un enfant de douze ou de vingt-quatre mois peuvent tenir des propos du genre : « Nous l'avons emmené voir le défilé du Jour de la Terre et il a adoré les clowns et les fanfares. Dommage qu'il ne se souviendra pas de tout ça quand il sera grand. » Une remarque comme celle-là confond deux processus importants dans le développement humain. « Se souvenir » fait référence à la capacité de retrouver dans le magasin du cerveau des événements passés et de se les recréer dans l'esprit. La « mémoire », cependant, est au cœur de l'apprentissage et de la vie elle-même. Nous mémorisons les choses, inconsciemment, en mettant en pratique nos souvenirs dans tout ce que nous faisons. Même les comportements automatiques, comme la marche ou la danse, sont basés sur ce que nous avons appris plus tôt et nous reviennent maintenant à l'esprit sans passer

## Montrer du doigt : Oui ou non ?

**En Amérique et en Europe, les enfants apprennent très tôt qu'il est grossier de montrer les gens du doigt, mais qu'il est acceptable d'indiquer une direction avec le doigt. Chez les Navajos, pointer le doigt est strictement tabou, mais il est permis de pointer la main, pourvu que tous les doigts soient tendus. Désigner l'objet avec le coude est aussi permis. Dans certaines cultures africaines, montrer du doigt avec la main droite est autorisé, mais le faire avec la main gauche est considéré comme une insulte.**

de nouveau par un processus compliqué. Nous fonctionnons sur le pilote automatique. Jérémie tend le doigt dans un geste de pointage impératif parce qu'il a appris que ce geste donne des résultats. Cette pensée et l'action correspondante sont ancrées dans sa mémoire pour être réutilisées et appliquées au besoin.

À mesure que Jérémie pratique le pointage impératif pour obtenir ce qu'il veut, il élabore d'autres formes de langage secret. Il tend le bras et replie ses doigts vers lui dans le geste classique signifiant « Viens ici ». Il peut signaler qu'il a faim en portant ses mains à sa bouche. Regardant par la fenêtre, il peut rabattre ses bras pour montrer qu'il a vu un oiseau. Bien sûr, il regardera toujours vos yeux pour s'assurer que vous avez reçu le message. Montrez-lui du regard que vous comprenez et essayez de verbaliser pour lui le message que vous croyez qu'il vous envoie (« Tu veux que papa vienne te voir ? » ; « Jérémie a faim ? » ; « Jérémie a vu un oiseau ? ») pour lui faire savoir qu'il est entendu et pour lui fournir les matériaux de base de sa future communication verbale.

## Des faits

*La recherche a démontré que des gestes comme montrer du doigt sont particulièrement utiles pour les bébés garçons, qui, souvent, communiquent verbalement plus tard que les filles et peuvent avoir besoin d'atténuer leur frustration physique et leur stress.*

# TU PIGES ?

## UNE CONVERSATION POINTUE

### CE QUE BÉBÉ FAIT
*Il allonge le bras et déplie l'index après que vous
lui avez posé une question simple. (« Où est Fido ? »)*

### CE QUE BÉBÉ VEUT DIRE
*« Regarde. C'est ça que tu m'as demandé. »*

### CE QUE VOUS DEVRIEZ VOIR
*Bébé est en train de répondre à vos questions simples,
par conséquent, c'est le début d'une véritable « conversation ».*

*A*riane, à quelques jours de son premier anniversaire, est assise dans sa chaise haute près de la table à manger familiale. Elle gazouille, sourit et montre du doigt. Elle n'a pas encore prononcé son premier mot compréhensible, même si elle babille certainement. Néanmoins, elle connaît les êtres et les choses qui l'entourent et semble même suivre le fil de la conversation. « Où est papa ? », demandez-vous. Instantanément un doigt potelé se lève pour indiquer l'homme au visage rayonnant de l'autre côté de la table. Bravo ! « Où est toutou ? » Elle pointe maintenant le doigt vers la queue remuante du petit terrier sous sa chaise. Vous savez quoi ? Ariane est en grande conversation !

Maintenant, Ariane semble comprendre quarante à cinquante mots (comme «biberon», «lit», «voiture», «couverture» et «bye-bye»). Comprendre le lien entre la parole et le geste «réactif» est quelque chose de nouveau pour elle et constitue une étape cruciale dans son développement. Maintenant, elle saisit clairement le rôle central et important de la langue: les mots font référence à des objets, à des personnes, à des actions et même à des sentiments. Demandez-lui si elle a faim et elle vous montrera sa chaise haute. Elle regardera dans sa direction et peut-être même rampera jusque-là.

Ses progrès vont même au-delà. Si vous parlez de papa avant qu'il apparaisse, elle peut pointer le doigt vers la chaise vide sur laquelle papa s'assoit habituellement. Si vous mentionnez un avion, elle

 *Des faits*

**Des études ont démontré qu'un enfant de douze mois peut reproduire le nom d'un objet une semaine après l'avoir montré du doigt.**

## Les demoiselles d'abord

À quatroze mois, un bébé moyen de sexe masculin peut dire cinq mots individuels. Le vocabulaire parlé d'un bébé moyen de sexe féminin est près de quatre fois plus grand. À seize mois, le nombre moyen de mots compris par un enfant est de cent soixante-neuf mots, quoique certains enfants, surtout des filles, puissent en comprendre jusqu'à quatre cents.

peut montrer le ciel, qu'il s'y trouve ou non un avion. Elle comprend clairement que les mots représentent des personnes ou des objets, que ceux-ci soient présents ou non. Sa vue et son ouïe travaillent maintenant de concert. Elle associe ce qu'elle voit avec les paroles qu'elle entend.

Au cours des jours ou des semaines qui ont précédé ce moment clé, Ariane a atteint le stade de «l'attention conjointe», ainsi nommé par Michael Tomasello, chercheur dans le domaine du développement de l'enfant, de l'Institut Max Planck en Allemagne. L'attention conjointe se produit lorsque vous et votre bébé vous concentrez sur le même objet ou la même action en même temps, tout en reconnaissant que cette attention

# Tout le monde le fait

Faire des signes et montrer du doigt sont des actions qui semblent intégrées dans la constitution humaine. Dans le cadre d'une étude unique, Susan Goldin-Meadow, de l'Université de Chicago, a examiné les cas de quatre enfants sourds profonds dont les parents jouissaient d'une ouïe normale. Les parents avaient délibérément évité d'exposer les enfants à la langue des signes ou à leurs propres signaux manuels, car ils voulaient que les enfants participent à un programme qui les aiderait à acquérir une expression orale normale. Néanmoins, les enfants ont commencé à faire des gestes et à montrer du doigt à sept mois, comme les enfants qui entendent bien, et ont progressivement élaboré leur propre système de langage gestuel et de communication. Ils ont même mis au point leur propre grammaire pour clarifier leurs messages et ont élaboré des signaux qui indiquaient des pronoms ou des pluriels. Susan Goldin-Meadow a constaté plus tard le même type de langage gestuel chez des enfants sourds à Taïwan ; elle a aussi commencé à étudier des cas d'enfants sourds en Espagne et en Turquie.

## Trop loin pour être montré du doigt ?

**Les nourrissons qui montrent du doigt peuvent être limités par leur myopie. Des études ont révélé que les bébés commencent par montrer du doigt des objets à une portée visuelle rapprochée et, peu à peu, montrent des objets plus éloignés ; cependant, ce n'est généralement que vers l'âge de douze mois qu'ils ont une vue normale et sont capables de discerner des objets situés à une plus grande distance. Le chien dans la cour du voisin ou l'arbre de l'autre côté de la rue peuvent être trop flous pour être vus clairement par bébé et attirer son attention. Bébé peut très bien ne pas être capable de suivre les efforts d'un adulte qui essaie de lui montrer un avion dans le ciel, une voiture ou un immeuble à l'horizon.**

est mutuelle. Plusieurs étapes du développement se produisent avant que cela n'arrive. À neuf mois, Ariane peut montrer du doigt des objets qu'elle voit ou qu'elle veut. Mais lorsque vous pointez votre doigt vers l'objet, ses yeux à cet âge ne suivent pas la direction que vous indiquez. Ils se poseront plus probablement sur le bout de votre doigt. Pas plus qu'ils ne suivent la direction de vos yeux lorsque vous regardez l'objet désiré. Et, lorsqu'elle-même montre du doigt l'ourson en peluche, elle n'a pas appris à regarder votre visage pour s'assurer que vous avez reçu le message.

Ce n'est généralement pas avant son premier anniversaire que tous ces fragments s'emboîtent dans une seule équation. La maîtrise du contact visuel se fait en premier. Ariane apprend (par essais et erreurs) qu'elle doit obtenir votre attention pour que sa quête d'un repas ou de l'ourson en peluche soit couronnée de succès ; elle apprend aussi que le moyen de capter cette attention cruciale est de vous regarder dans les yeux. Agiter les bras ou dire « euh-euh-euh » n'est pas suffisant. Désormais, vous et elle êtes sur la même longueur d'onde et elle peut voir vos yeux se concentrer sur le même objet. Elle comprend maintenant que ce n'est pas le doigt qu'elle doit examiner, mais la direction qu'il indique. Puis vient la période du « Où est papa ? »

dont nous avons parlé précédemment, période où elle commence à faire l'association entre le mot et l'objet.

Le regretté George Butterworth, de l'Université du Sussex, considérait que la coordination des mots et des signaux de la main étaient un élément constitutif fondamental de la communication humaine. Pour la première fois, Ariane se rend compte qu'un mot précis désigne une personne ou un objet précis ; lorsque maman prononce le mot «toutou», elle désigne le gentil animal domestique, même si Fido n'est pas présent. Le premier vocabulaire qu'Ariane comprend est en grande partie constitué de mots isolés, généralement des noms de choses ou de personnes. Mais bientôt son vocabulaire intégrera des mots exprimant des actions («manger», «marcher») et des sensations («fatiguée, Ariane?»).

Bien sûr, voilà des mois que vous lui enseignez ces mots, peut-être sans trop vous en être rendu compte. Lorsque vous dites «papa» ou «toutou», en regardant l'objet ou en le montrant du doigt, des connexions neuronales se produisent dans le cortex préfrontal de bébé et, chaque fois que vous répétez le mot et le geste, la connexion est renforcée. Peu à peu, l'association du mot «papa» avec ce type génial qui est de l'autre côté de la table devient automatique. La leçon est particulièrement pénétrante si vous insistez sur le mot d'identification («Voila *toutou!*», «Voila *papa!*»); aussi, n'hésitez pas à y mettre un peu d'emphase!

## DERRIÈRE LES SIGNES

## Tu piges toujours ?

**À mesure que le vocabulaire de bébé s'enrichit, montrer du doigt devient un moyen de communication moins important, mais ce geste ne disparaîtra aucunement. Montrer du doigt et faire des mimiques sont des actions clés dans les cultures et les langues du monde entier, même si les détails exacts de ces gestes diffèrent. Susan Goldin-Meadow, de l'Université de Chicago, a démontré que les mimiques et l'action de montrer du doigt sont au cœur de la communication, même en l'absence de la parole. La chercheuse a travaillé auprès de quatre frères et sœurs, tous complètement sourds ; elle a découvert qu'ils avaient élaboré un vocabulaire de signes, de signaux et de mimiques qui leur étaient propres et qu'ils continuaient à communiquer dans cette langue même après avoir appris le langage des signes.**

# HAUT LES MAINS!

## BÉBÉ VEUT SORTIR ET A BESOIN DE VOTRE AIDE

### CE QUE BÉBÉ FAIT
*Il tend ses deux bras vers le haut.*

### CE QUE BÉBÉ VEUT DIRE
*« Sortez-moi de là ! »*

### CE QUE VOUS DEVRIEZ VOIR
*Bébé fait la démonstration à la fois de son indépendance (je veux ma liberté)
et de sa dépendance (j'ai besoin de ton aide pour me sortir de là).*

*L**es bras de Philippe sont levés et pointent vers le ciel. L'enfant affiche un visage implorant, où alternent des expressions de supplication et d'anticipation. Vous pouvez comparer sa mimique à celle d'un athlète franchissant la ligne d'arrivée en triomphateur. Il y a même un peu de « Ave, César ! » dans son maintien.*

Mais le message de Philippe est très différent. Dans sa gestuelle à usages multiples, il dit qu'il en a assez de l'endroit où il se trouve et veut changer de place. « J'ai fini d'éparpiller ces morceaux de craquelins. Sors-moi de cette ennuyeuse chaise haute. » Et il lève des bras suppliants, demandant sans équivoque d'être pris et extirpé de sa prison actuelle. Son message peut aussi être « Ce bruit assourdissant m'a fait peur. Je t'en prie, prends-moi et montre-moi qu'il n'y a rien à craindre. » Philippe, dans son berceau, les bras en l'air, peut être en train de dire « J'ai assez dormi. Emmène-moi là où il y a de l'action. »

Ce fragment de langage « secret » n'a rien de bien secret. L'entourage de bébé peut se retrouver devant ces supplications plusieurs fois par jour et doit façonner une réponse selon le contexte. Ce langage constitue en partie une forme d'interaction parent-enfant basée sur des embrassades et des contacts physiques rapprochés. Cette mimique transmet aussi un message contradictoire. Bébé veut sortir de sa prison et veut son indépendance. En même temps, il reconnaît que l'obtention de cette liberté dépend de vous.

**DERRIÈRE LES SIGNES**

## « Moi prendre »

**Lorsque les tout-petits commencent à parler et à lier des mots, ils apprennent rapidement leur propre nom et les mots désignant maman et papa. Les pronoms, cependant, sont un peu plus difficiles à assimiler. Les mots « toi » (ou « tu »), « moi » et « je » sont des sources de confusion : parfois, je suis « moi », parfois maman m'appelle « toi », et parfois maman est « toi ». Une confusion fréquente survient lorsqu'un bébé fatigué lève ses bras vers son papa et l'implore : « Moi prendre. » Bien sûr, il ne propose pas de prendre papa, mais d'être pris par papa.**

Parfois, les bras en l'air de Philippe peuvent faire partie d'un jeu interactif, un jeu enseigné par un parent, un grand-papa ou un oncle radoteur. «Bébé est grand comment? Bébé est grand comme ça!» Et papa, grand-papa ou tonton Léon lance ses bras en l'air pour montrer que bébé a atteint une taille de géant. Philippe, un imitateur naturel, entend ces mots, voit les bras levés et mime avec ses petits bras les mouvements exubérants vers le ciel de papa, de grand-papa ou de tonton Léon. Bientôt, les seuls mots «Bébé est grand comment?»

déclencheront le mouvement des bras vers le haut, tout comme dans la fameuse expérience sur le réflexe conditionné que Pavlov a réalisée avec des chiens. Parfois, cependant, Philippe peut lever les bras sans autre intention que de signaler qu'il veut continuer le jeu.

Ce jeu nous permet de voir que bébé observe, apprend, traduit ses observations dans un langage corporel et utilise ce langage pour obtenir des résultats. En effet, c'est l'une de ses premières

 ## Des faits

Les bébés ont tendance à se concentrer sur une seule compétence au moment où ils l'acquièrent. Par exemple, si un enfant est résolu à faire l'apprentissage de l'arrachage, il sera moins susceptible de babiller ou de faire les autres mimiques qu'il connaît. Chez le nourrisson, le développement se fait une chose à la fois.

leçons apprises. Cette leçon s'amorce dès qu'un tout-petit de quatre mois peut maîtriser les mouvements de ses bras et faire le lien entre ses mouvements et le fait d'être pris et réconforté. Cette leçon est bien acquise au moment où bébé est en mesure de s'asseoir sans appui sans être encore capable de se déplacer par lui-même ; elle peut se poursuivre même lorsque bébé est mobile et capable de se tenir debout seul. Bébé lève les bras en l'air pour qu'on le sorte de son parc ou de son berceau. Ce langage persiste souvent chez le bambin et l'enfant d'âge préscolaire, lorsqu'il est fatigué et veut être pris et porté plutôt que de marcher.

# ME VOIS-TU ENCORE?

## COMMENT ET POURQUOI
## LES BÉBÉS MOBILES VEULENT ÊTRE RASSURÉS

### CE QUE BÉBÉ FAIT
*Il s'éloigne rapidement de vous en rampant,*
*mais regarde continuellement derrière lui.*

### CE QUE BÉBÉ VEUT DIRE
*« Es-tu toujours là ? Es-tu d'accord ? »*

### CE QUE VOUS DEVRIEZ VOIR
*Même s'il est indépendant, bébé a encore besoin*
*de votre présence et de votre soutien.*

**É**lodie est mobile. Après avoir compté sur vous pendant des mois pour être déplacée d'un endroit à un autre, elle peut maintenant ramper et marcher à quatre pattes. Elle peut naviguer avec bonheur dans le salon, voire même se hisser debout en s'appuyant sur les meubles. (Désormais, à votre désarroi, elle peut aussi atteindre des objets précieux et fragiles ou s'introduire dans des endroits interdits.) Posez-la par terre et elle se déplacera aussi vite que ses bras et ses jambes peuvent la propulser. Rien ne l'empêche de se déplacer, mais tous les trois mètres, elle interrompt sa progression pour jeter un coup d'œil méfiant derrière son épaule, le regard parfois inquiet, parfois malicieux.

«Maman, es-tu encore là?» est l'un des messages que ce regard envoie. L'autre message est: «Maman, tu ne m'empêches pas de continuer?» À neuf mois, Élodie sent les premiers tiraillements de l'angoisse de la séparation, cet état de légère appréhension devant l'absence éventuelle de maman, la personne à qui elle est si résolument attachée sur le plan des émotions, la gardienne de son bien-être. Maman peut n'être qu'à quelques pas, ou plus éloignée donc moins visible, et néanmoins toujours à portée de voix, mais Élodie a besoin d'avoir de nouveau l'assurance qu'elle n'est pas hors de vue. Après tout, maman est sa principale source de nourriture, de couches sèches et de roucoulades aimantes. La crainte d'être éloignée d'elle naîtra alors et pourrait devenir plus marquée à mesure que les mois passeront, surtout lorsque viendra le temps pour Élodie de se séparer de maman pour aller à la garderie ou dans un groupe de jeu du voisinage.

 *Des faits*

*Une fois que votre petit commence à ramper, il est temps d'aménager votre foyer pour que bébé y soit en sécurité. Mettez-vous à quatre pattes, faites le tour de la maison, essayez de repérer tous les dangers que bébé pourrait croiser sur son chemin et débarrassez-vous-en!*

## Comme suspendu dans le vide

**Pour comprendre la tension créée par l'attachement à la mère et l'éloignement nécessaire à de nouvelles expériences, imaginez que vous vous balancez au bout d'une branche d'arbre. Vous ne voudrez pas lâcher la branche tant que vos pieds ne toucheront pas le sol en toute sécurité.**

«Maman, tu ne m'empêches pas de continuer ?» est l'envers de la médaille. Un bébé de neuf mois comme Élodie est infiniment curieux, surtout de toutes ces choses intéressantes qui étaient jusqu'à présent hors de sa portée. Bébé succombera à la tentation à la première occasion. En même temps, Élodie sait (ou apprendra rapidement en voyant votre doigt réprobateur et en entendant votre voix crier avec force «Non, Élodie !») que certaines choses sont absolument en dehors de ses limites. L'interdiction, bien sûr, ne peut que renforcer l'attrait de ces choses. Ainsi, Élodie peut aussi bien se diriger vers ce vase antique fragile, en reconnaissant à la fois que cet objet signifie «non, non» pour elle et que sa destination attirera votre attention. D'où ce regard jeté par-dessus son épaule pour voir si vous intervenez, combiné à une demande d'intervention. Lorsqu'elle est enfin détournée de sa destination (ou que le vase est placé dans un endroit plus sûr), Élodie peut même émettre un petit rire malicieux.

# La révolution des neuf mois

Ce double tiraillement entre l'attachement de bébé à sa mère et sa curiosité à l'égard du monde est un événement central dans ce que Philippe Rochat, de l'Université Emory à Atlanta en Géorgie, a nommé la révolution des neuf mois. Comme pour la révolution des deux mois, elle se traduit par un changement marqué et important dans le comportement et la vie de bébé. Petit à petit, l'enfant s'éloigne de lui-même et intègre dans sa vie le monde extérieur : il montre du doigt des choses qui l'intéressent, « pose des questions » sur les objets qui l'entourent et

devient sensible aux émotions des autres. Il veut savoir et il veut expérimenter. Et, à mesure que sa mobilité s'accroît, il a la capacité d'expérimenter, d'explorer et, surtout, d'obtenir des réactions des autres. En même temps, la nouveauté peut lui faire un peu peur ; les personnes inconnues et les objets nouveaux peuvent l'effrayer. Son entourage immédiat est son refuge. Alors il s'y accroche et lui tend la main.

Cette révolution a une base anatomique. Les lobes préfrontaux sont la partie du cerveau la plus lente à se développer ; ces zones com-mandent des fonctions telles que la mémoire, l'attention, la planification, l'inhibition et autres. Toutefois, entre l'âge de neuf et douze mois, le développement des lobes préfrontaux s'accélère. Auparavant, la mémoire et l'attention de bébé étaient de courte portée ; bébé ne pointait pas

le doigt vers des objets intéressants parce que ceux-ci ne captivaient pas son attention assez longtemps. Il ne pouvait pas concevoir mentalement un plan comme : « Il y a là-bas un vase tentant. Si je peux tendre mon bras assez loin, je pourrai l'atteindre. » Son attachement à sa mère évolue de façon similaire. Il est difficile de maintenir un attachement inconditionnel lorsque la mémoire à court terme se limite à quelques secondes. Mais, à neuf mois, le développement des lobes préfrontaux augmente la mémoire de façon spectaculaire ; bébé peut désormais s'attacher étroitement à sa maman. Il ne veut pas la laisser partir. Il perçoit un visage non familier comme une menace à cet attachement. En même temps, sa curiosité et ses compétences pour obtenir ce qu'il veut s'affinent. Pour bébé, la révolution des neuf mois est une période à la fois de possibilités nouvelles et de conflits.

Le fait de regarder par-dessus son épaule pour se rassurer marque une nouvelle étape de développement chez Élodie. L'angoisse de la séparation démontre son attachement indéfectible innée à sa mère – une caractéristique que les petits de l'homme partagent avec les petits de nombreuses autres espèces. John Bowlby, de la Clinique Tavistock de Londres, a souligné ce phénomène dans un article scientifique publié en 1949 qui a bouleversé les idées reçues concernant la croissance physique et affective des enfants. Jusque-là, on croyait fermement que l'enfant était lié à sa mère dans la petite enfance tout simplement pour que ses besoins soient comblés ; les bébés pouvaient s'attacher à toute personne qui les nourrissait, les lavait ou les langeait. Le bon maternage de toute femme (ou homme) attentionnée suffisait

pour forger le lien. Anna Freud, la fille de Sigmund Freud, a défendu ce point de vue. Elle appelait ce phénomène l'« amour intéressé ».

John Bowlby affirmait que le lien mère-enfant existait depuis la naissance ; il a démontré des liens parallèles chez d'autres animaux. Lorsque les canetons ou les oisons éclosent, ils suivent la première créature qu'ils voient en mouvement (que ce soit une cane ou un humain qui passe par là, comme l'a démontré de façon évidente le film *L'envolée sauvage*), et cet attachement se poursuit jusqu'à ce que les petits atteignent leur maturité. Puis, en 1958, le psychologue Harry Harlow, de l'Université du Wisconsin, a modifié les théories sur les origines de l'amour maternel. Dans l'expérience qu'il a réalisée, des bébés singes ont adopté une mère de substitution faite d'un treillis métallique recouvert de tissu éponge chaud et gréée d'une tétine et d'un distributeur de lait ; les bébés ont préféré cette « mère », même si on leur présentait un autre appareil gréé d'une tétine et de la nourriture adéquate, mais un peu moins confortable. Cette expérience a démontré que les bébés créent des liens affectifs non seulement avec un objet qui subvient à leurs besoins, mais aussi avec un objet qui est confortable et agréable à étreindre.

Lorsque le regard derrière l'épaule se traduit par « es-tu d'accord, maman ? », il représente une nouvelle étape dans le développement d'Élodie. Maintenant, le cerveau en développement peut

traiter le concept selon lequel certaines choses sont permises et d'autres sont interdites. « Ce vase est très joli, mais maman ne sera pas contente si je le touche. » La curiosité vient en conflit avec le besoin qu'a Élodie d'obtenir l'assentiment de sa mère.

Surmonter l'angoisse de la séparation (ou la peur des étrangers qui l'accompagne souvent) peut être un processus lent, même douloureux. Il existe des moyens pratiques pour aider votre enfant à surmonter ces craintes, bien que le simple fait d'évoluer dans un environnement sûr et protecteur encourage votre bébé dans sa quête vers une plus grande indépendance.

# C'EST QUI, LUI?

## DÉTECTER LES PREMIERS SIGNES DE LA PEUR DES ÉTRANGERS

### CE QUE BÉBÉ FAIT
*Il s'accroche à vous et pleure
à l'approche d'un adulte étranger.*

### CE QUE BÉBÉ VEUT DIRE
*« Je ne me sens pas à l'aise près
de cette personne. Éloigne-moi d'elle ! »*

### CE QUE VOUS DEVRIEZ VOIR
*De nouveaux visages et de nouvelles
expériences peuvent faire peur.*

**B**ébé Nguyen a toujours été super-amical. À six mois, il souriait à tous les clients du supermarché et gloussait lorsqu'un étranger lui chatouillait le menton. Mais Nguyen a maintenant neuf mois. Ces gestes amicaux de la part de personnes extérieures au cercle familial sont maintenant rejetés avec horreur, même ceux de grand-maman, qui pourtant l'adore. Devant un visage inconnu, il s'accroche à maman, gémit et semble terrifié. Son langage corporel livre un message clair : « Éloigne cette personne de moi ! »

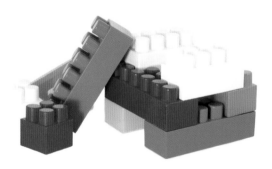

La «peur des étrangers» est le terme technique pour désigner les actions malheureuses de Nguyen. Cette peur sera présente à divers degrés au cours des mois, voire des années à venir. Comme l'angoisse de la séparation (dont il est question dans le chapitre précédent), la peur des étrangers résulte d'une combinaison de changements qui surviennent au cours des trois derniers mois de la première année de vie de Nguyen. Bébé ressent simultanément les liens solides de l'attachement à sa mère et l'impulsion puissante qui le pousse à explorer de nouveaux mondes. Les zones «pensantes» de son cerveau se développent en même temps que les zones consacrées à la mémoire à long terme. Le visage de la personne qui prend soin de lui est un visage dont il se souvient bien ; ces nouveaux venus

## DERRIÈRE LES SIGNES

### Filer à l'anglaise

**Devez-vous toujours dire «bye-bye» à un bébé pot de colle? Les experts estiment qu'il est préférable de laisser savoir à un bébé anxieux que l'on est sur notre départ plutôt que de sortir furtivement lorsque bébé est occupé avec la gardienne. La première fois, cette façon de faire peut sans doute vous permettre de vous séparer «proprement» de bébé ; mais si vous vous éclipsez ainsi trop souvent, bébé pourrait devenir excessivement collant au retour à la maison et dans d'autres situations. Votre enfant peut en venir à craindre que vous disparaissiez à tout moment sans prévenir.**

ne sont que des visages fugaces. En effet, dans son esprit, ils peuvent même représenter des menaces.

Nguyen peut aussi regimber dans des lieux inconnus. Amenez-le à l'aire de jeu et il peut rechigner à aller dans la glissade qu'il adorait à six mois. Cette glissade s'est évanouie dans les brumes de sa mémoire à court terme. Il peut être farouche envers les gardiennes, les éducatrices de la garderie ou son premier groupe de jeu ; il restera sur vos genoux, suçant son pouce et se cachant peut-être des autres. (Et il ne sera pas le seul ! Le groupe de jeu peut ainsi être composé de quatre bébés de douze mois assis sur les genoux de leur mère, suçant leur pouce avec application et exprimant leur malheur dans le même langage corporel de bébé.)

## Enfants futés

Les enfants reconnaissent souvent les problèmes de séparation aussi facilement que les parents. Un jour, l'un des auteurs du présent ouvrage est venu habiter quelques jours avec la petite Lucy, deux ans, et son père pendant que la mère de Lucy devait partir au loin en raison d'une urgence familiale. Grand-papa Ed était souvent resté avec Lucy auparavant ; lui et sa petite-fille avaient une relation étroite et constante basée sur la « lecture » de livres. Mais, voyant partir sa mère, la petite fille a poussé des hurlements, a refusé d'approcher grand-papa, a lancé les livres qui lui étaient offerts et s'est accrochée anxieusement à son père. De toute évidence, elle savait que ce n'était pas une séparation à court terme ; elle n'a pas souri ni ouvert de livres tant que sa maman n'est pas rentrée.

Alors, que doit faire une mère ? La première étape consiste à anticiper. Une phase inévitable d'angoisse de la séparation est à prévoir, tôt ou tard, alors faites un peu de travail préparatoire pour réduire l'anxiété au minimum. Une stratégie importante consiste à habituer bébé très tôt à de courtes périodes de séparation, soit au cours des six premiers mois. (Rappelez-vous qu'une sortie en soirée est un bon traitement pour les parents aussi.) Demander à la gardienne d'arriver tôt afin que bébé ait le temps de faire connaissance avec elle. Si possible, faites garder bébé chaque fois par la même personne. Dans un groupe de jeu, restez avec votre enfant pendant toute la visite et demeurez à portée de vue lorsque vous déposez bébé par terre. Vous verrez bébé vérifier fréquemment que vous êtes bien là ; rassurez-le par votre présence physique. Préparez-le petit à petit à la garderie à temps plein.

 *Des faits*

**À l'approche de leur première année, les bébés surprennent souvent leurs parents en devenant tout à coup craintifs devant de nouvelles personnes, même les bébés qui, par le passé, étaient extrêmement « sociables » et heureux parmi les étrangers.**

# VOTRE PETIT IMITATEUR

## L'IMPORTANCE DE L'APPRENTISSAGE IMITATIF

### CE QUE BÉBÉ FAIT
*Il imite vos actions en jouant.*

### CE QUE BÉBÉ VEUT DIRE
*« Je veux être comme papa et maman. »*

### CE QUE VOUS DEVRIEZ VOIR
*Vous êtes le modèle constant de bébé.*

**R**osalie, dix mois, est assise dans le salon, qui est jonché de ses jouets. Elle les prend un par un, les examine et les dépose par terre. Elle regarde le chien en peluche, l'étreint et babille. Puis ses yeux se posent sur un hochet jaune en forme de banane. Elle le secoue, écoute, puis tient un bout près de son oreille et l'autre bout près de sa bouche. Elle babille. Rosalie est en train d'avoir une conversation téléphonique, tout comme vous.

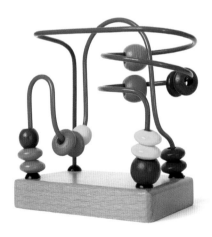

Comme c'est amusant! Vous ne pouvez pas vous empêcher de sourire. Mais cette touchante usurpation d'identité représente beaucoup plus qu'un simple jeu mignon. Rosalie répète un comportement qui deviendra la pierre angulaire de son langage secret; ce comportement jouera un rôle clé dans son développement continu à partir de maintenant. Dès les premières heures suivant sa naissance, elle reconnaissait que les autres étaient «comme moi». Elle veut dupliquer vos actions, être «comme vous». Au début, elle se contentait d'observer et d'absorber. Maintenant, sa nouvelle mobilité, son autonomie croissante et son habileté motrice en plein développement lui permettent d'examiner ce qu'elle voit et d'imiter.

Si l'imitation est la forme la plus sincère de la flatterie, les bébés sont les plus grands flatteurs qui soient. Bébé imite vos actions du matin au soir. Pratiquement chaque geste du langage secret de Rosalie est calqué sur votre comportement, parfois sans que vous ne

## Des faits

*Des études montrent que les bébés préfèrent imiter d'autres enfants plutôt que des adultes.*

vous en rendiez compte. Ce geste de la tête pour dire «oui» ou «non» constitue l'un de vos premiers enseignements. Le doigt pointé est un geste que vous avez fait de nombreuses fois. En effet, en établissant le profil d'enfants sourds qui avaient inventé leur

## Dis « aaaaa »

**Prenez votre nouveau-né et regardez-le bien en face. Lorsque vous établissez un contact visuel, clignez des yeux et regardez si bébé cligne aussi des yeux. Puis sortez la langue comme si un médecin vous examinait la gorge. Maintenez-la sortie. Il est probable que bébé sortira sa langue aussi lorsqu'il verra la vôtre. Les bébés ne répondent pas toujours instantanément. Vous le verrez peut-être passer sa langue dans sa bouche, comme pour vérifier la partie du corps qu'il doit utiliser. Un tout-petit de six semaines a mis une journée entière à sortir sa langue.**

propre langage gestuel, Susan Goldin-Meadow a constaté qu'eux aussi utilisaient les mêmes gestes manuels que les adultes, comme celui de dresser le pouce en signe d'approbation ou celui de lever les paumes pour dire «cela suffit, merci».

Ce n'est qu'au cours des dernières décennies que l'on a compris pleinement l'importance cruciale de l'imitation dans le développement des bébés. Jean Piaget, ce pionnier de l'étude de la petite enfance, croyait que les bébés ne pouvaient imiter que plusieurs mois après leur naissance. En 1977, Andrew Meltzoff, qui était alors attaché à l'Université Oxford en Angleterre, a réalisé une expérience simple mais révolutionnaire. Il a simplement montré sa langue à douze nourrissons de seize à vingt-et-un jours et les a observés avec fascination reproduire son comportement et sortir leur langue en réponse. Pourtant, ces bébés n'avaient jamais vu leur propre visage, encore moins leur langue. Comment pouvaient-ils faire cela?

# Suivez mon regard

Un bébé de onze mois suit le regard d'un adulte qui s'attarde sur un objet intéressant. «Hé, ce que tu regardes est fascinant!» Suivre le regard aide-t-il les bébés à apprendre en les renseignant sur ce que les adultes trouvent intéressant? Plus précisément, en tant que manifestation précoce d'un langage secret et précurseur du pointage de doigt, l'action de suivre le regard favorise-t-elle le développement de l'enfant et la maîtrise du langage?

Dans le cadre d'une étude qui a fait date, Andrew Meltzoff et Rechele Brooks, de l'Université de Washington, ont exploré le lien entre l'action de suivre le regard et le développement du langage. Leurs conclusions ont été publiées dans la revue *Developmental Science*. Les chercheurs ont observé quatre-vingt-seize enfants âgés de neuf, dix et onze mois, la moitié étant des garçons, l'autre moitié, des filles.

Dans le laboratoire de l'université, les enfants étaient assis sur les genoux de leur mère, face à une expérimentatrice. Après avoir capté l'attention de l'enfant avec des jouets, l'expérimentatrice établissait un contact visuel, puis tournait sa tête et son regard de côté. Dans certains cas, l'expérimentatrice fermait les yeux avant de tourner la tête. Dans d'autres cas, elle gardait les yeux ouverts. Elle a répété l'action de tourner sa tête quatre fois. Deux caméras vidéo synchronisées enregistraient le visage de l'enfant et de l'expérimentatrice.

Les bébés de neuf mois suivaient le mouvement de tête de l'adulte, que ses yeux fussent ouverts ou non. La plupart des bébés de onze et douze mois suivaient l'expérimentatrice seulement lorsque ses yeux étaient ouverts et qu'elle semblait clairement regarder un objet. Ils ne la suivaient pas lorsque ses yeux étaient fermés. Et ils «parlaient» aussi en émettant des «euh-euh» et des «hum», comme s'ils commentaient le regard de l'expérimentatrice. Les chercheurs ont nettement établi un lien entre l'observateur et l'objet; ils ont peut-être aussi démontré un partage psychologique d'intérêt commun.

À dix-huit mois, ces enfants ont fait l'objet d'une évaluation de leurs aptitudes linguistiques selon une mesure standard. Ceux qui avaient obtenu les scores les plus élevés à suivre le regard, yeux ouverts, de l'adulte ont obtenu des résultats beaucoup plus élevés en compréhension de mots. Ils comprenaient en moyenne près de deux fois plus de mots que les autres. Ils connaissaient la signification de trois cent trente-sept mots. Pour ce qui est de la parole, cependant, leurs scores étaient inférieurs: cent quatre-vingt-quatroze mots. Ces résultats égalaient à peu près ceux observés chez les bébés qui avaient suivi le mouvement de tête de l'adulte, yeux fermés. Meltzoff et Brooks en ont conclu que la production de mots dépendait du développement d'autres compétences, comme la force de la langue et des lèvres et le développement des cordes vocales. Néanmoins, l'action de suivre le regard a été reconnue comme un élément clé dans le développement du langage des enfants.

Bien que le rapport de Meltzoff et Keith Moore, de l'Université de Washington à Seattle, ait d'abord été accueilli avec scepticisme, des études sur la protrusion de la langue chez le nourrisson ont, depuis, été reproduites des dizaines de fois dans les laboratoires du monde entier. Des bébés de plus en plus jeunes ont été vus en train d'imiter la protrusion de la langue, dont un bébé à peine âgé de quarante-deux minutes. Ils imitent aussi d'autres expressions faciales. Ils ouvrent grand la bouche, clignent des yeux ou font la moue s'ils voient un adulte le faire. Il semble que les bébés soient des imitateurs naturels. Maman et papa sont leurs modèles omniprésents.

## Sept prodiges

**On a observé des nourrissons de moins de deux mois imiter, à l'invite, sept types de mouvements faits par des adultes :**

- **Ouvrir la bouche**

- **Bouger les mains**

- **Prendre une physionomie exprimant des émotions**

- **Bouger la tête**

- **Avancer les lèvres et bouger les joues**

- **Cligner des yeux**

- **Sortir la langue**

Votre bébé naît-il avec la capacité d'imiter? Un groupe de chercheurs pense que oui. Tout comme les humains sont préprogrammés pour apprendre à parler, les nourrissons peuvent être dotés de la capacité d'étudier les actions des autres et de les reproduire eux-mêmes. En outre, tout comme l'homme est la seule espèce douée de la parole, on croit qu'elle est la seule capable d'imiter. Contrairement à la perception populaire, la capacité d'un primat à imiter n'est pas tout à fait la même que la nôtre. On peut enseigner aux singes à imiter, mais ceux-ci ne peuvent pas imiter spontanément les autres singes simplement en les observant. On a vu dans la nature des vieux chimpanzés «enseigner» aux plus jeunes à casser des noix entre deux pierres, mais il n'existe aucune preuve qu'ils puissent reproduire des actions qu'ils ont déjà vu faire, comme Rosalie l'a fait avec sa banane-téléphone.

 *Des faits*

**Des chercheurs ont remarqué que, chez les jumeaux, un des enfants a tendance à être constamment le «faiseur», tandis que l'autre est l'«observateur» réfléchi. Une fois qu'un exploit est maîtrisé par l'aîné, le cadet peut immédiatement imiter l'action avec succès sans s'y être exercé au préalable.**

# ÇA SUFFIT !

## COMMENT BÉBÉ EXPRIME SA FRUSTRATION ET L'HYPERSTIMULATION

### CE QUE BÉBÉ FAIT
*Il ouvre la bouche, ronchonne
et fait «stop» avec ses mains.*

### CE QUE BÉBÉ VEUT DIRE
*« Ça suffit maintenant. »*

### CE QUE VOUS DEVRIEZ VOIR
*Un revirement d'humeur soudain signifie
généralement que bébé est trop stimulé.*

É tait-ce un bâillement ? Pourtant Mégane ne s'endort certainement pas. Elle vient de faire une sieste, elle a été nourrie et, ces dernières minutes, elle avait beaucoup de plaisir. Son frère jouait à « J'vais t'attraper » en rampant sur le plancher, ce qui la faisait déguerpir et glousser avec jubilation. Sa boîte à musique jouait, des dessins animés galopaient sur l'écran du téléviseur et vous avez frappé dans vos mains devant ce spectacle exubérant. Un bâillement ? Et cette main ? Pourquoi lève-t-elle cette main ?

Les bébés adorent s'amuser. Ils aiment explorer, être pourchassés et surtout être le centre d'attention. Ils apprécient la musique et les voix. Mais parfois, pour un bébé de neuf mois comme Mégane, assez, c'est assez. De trop nombreux stimuli venant trop vite dépassent ce qu'un jeune cerveau en croissance peut assimiler. Trop de neurones sont sollicités à la fois. Mégane envoie un signal : «Arrête, arrête. J'ai besoin de me retirer.» Elle cesse de ramper, s'assoit lourdement et lève la main comme un agent de la circulation. Ses actions vous disent qu'elle a besoin de se calmer et que, si vous ne venez pas à sa rescousse, elle pourrait fondre en larmes et commencer à trembler ; cela peut être long avant que Mégane ne redevienne elle-même.

 **Des faits**

*Les bébés sont comme les adultes : ils ont parfois besoin de faire une pause et, occasionnellement, sont d'humeur à être seuls.*

# Les baby-tests

Si l'on tient un nouveau-né et qu'on laisse soudainement tomber sa tête tout en soutenant son tronc, il déploie ses bras et ses jambes, puis ramène ses bras sur sa poitrine en une sorte d'étreinte. Cette réaction est appelée le réflexe de Moro. C'est l'un des réflexes qui sont évalués par le personnel médical pour s'assurer de la bonne santé du bébé. Le réflexe de Babinski est aussi évalué. Pour ce faire, on passe un doigt sur la plante du pied de bébé, depuis le talon jusqu'aux orteils, ce qui fait fléchir le gros orteil, puis se déployer les autres orteils. Le réflexe est normalement présent chez l'enfant jusqu'à douze mois, ou jusqu'à ce que les pieds de l'enfant puissent supporter son poids.

L'hyperstimulation est probablement la partie du langage secret des bébés la plus difficile à interpréter pour un parent. Cette difficulté d'interprétation peut être due au fait que les signes d'hyperstimulation sont souvent inattendus, comme dans le cas de Mégane. Un instant, elle est le boute-en-train de la fête, l'instant d'après, elle envoie un S.O.S. C'est aussi un signal mixte, qui combine des messages provenant de nombreuses sources et ayant des significations potentiellement différentes. Bâille-t-elle parce qu'elle s'endort ? Pleurniche-t-elle parce qu'elle a faim ? Cache-t-elle son visage parce qu'elle est intimidée ? Colle-t-elle ses bras sur ses côtés parce qu'elle a peur ? Lève-t-elle la main parce que... ?

En dépit de la subtilité du message, il est important de remarquer les signes de stimulation excessive. Dans l'idéal, vous voudrez intervenir avant que le malaise du moment ne se transforme en un véritable appel de détresse et une explosion de pleurs.

L'hyperstimulation a son revers : l'ennui. Chez les enfants plus âgés, le langage du corps lié à l'ennui est facilement reconnaissable. On voit l'ennui se manifester lorsque l'enfant est dans un restaurant ou dans sa poussette au centre commercial et qu'il ne peut ni voir ni toucher les choses. On peut voir qu'un nourrisson s'ennuie s'il a un regard vitreux accompagné de gémissements, de grognements et de battements des bras.

Les bébés ont besoin de stimulation. C'est grâce à elle qu'ils sont florissants de santé. En fait, le développement du cerveau dépend de la stimulation. Le manque de stimulation peut en effet avoir des conséquences graves, comme dans la fameuse affaire de l'orphelinat roumain. Dans cet établissement, les enfants n'avaient pas été exposés à l'attention ni à la stimulation des adultes ; ils présentaient une croissante réduite et retardée du cerveau. Mais submerger l'enfant de stimuli (de jouets, de sons, d'activités) n'est pas non plus une solution. La limitation est importante. La nouveauté aussi est importante. Ne présentez à bébé que quelques nouveaux jouets à la fois pour éviter l'hyperstimulation ; prenez l'habitude de faire une rotation dans les jouets afin de ne pas laisser l'ennui s'installer.

## DERRIÈRE LES SIGNES

### Jouer à la dure

**C'est amusant pour papa – et peut-être aussi pour bébé. Rouler et s'ébattre sur le plancher du salon, se chatouiller et se saisir à bras-le-corps au milieu des rires et de l'hilarité. Ou s'emparer de bébé et le hisser très haut, même le lancer en l'air et le rattraper. En gloussant, bébé exprime un mélange de bonheur et de peur. La frontière est facile à franchir. Bébé a-t-il les mains tendues et les yeux effrayés ? Ces signes indiquent qu'il faut cesser le jeu. Il est même préférable de mettre fin à un jeu vigoureux avant d'atteindre ce point et avant que l'épuisement ne s'installe ; mieux vaut pécher par prudence.**

# Signes fréquents d'hyperstimulation

Tous les bébés ont leur propre façon d'exprimer le message « assez ». Il est important que vous puissiez découvrir la façon particulière dont votre enfant vous fait savoir qu'il est trop stimulé, même si, parfois, les signes sont très difficiles à détecter. C'est particulièrement vrai chez le très jeune nourrisson, dont le langage corporel est encore quelque peu limité. Pour commencer, voici quelques mimiques fréquentes, telles qu'indiquées par Connie Marshall, R.N, auteure de *From Here to Maternity*, qui peuvent souvent se traduire par « bon, ça suffit, on arrête ».

- Ronflement
- Éternuement
- Bâillement
- Hoquet
- Pleurnichage
- Bruits de succion

- Expression d'ennui
- Paupières mi-closes
- Regard vitreux
- Air fatigué
- Nez plissé
- Lèvre supérieure relevée

- Yeux fermés
- Tête tournée loin de vous

Si vous ne saisissez pas le message et continuez l'activité non désirée, votre enfant deviendra plus agacé et pourrait :

- Coller ses bras contre sa poitrine et battre l'air avec ses mains.
- Tenir ses jambes et ses bras tendus et raides.  ■ Frapper ses mains ensemble.
- Pleurer, gémir ou piquer une crise en règle, en fonction de votre degré d'obstination.

# LES JOUETS, C'EST NOUS!

## DES JOUETS QUI FAVORISENT LA COMMUNICATION PARENT-BÉBÉ

« *L*oïc, où est ta poupée ? » demandez-vous à votre petit Loïc, onze mois, qui se dirige, fier et triomphant, vers la poupée de chiffon calée dans un coin de son berceau. « *Et où est ton ballon ?* » Il le fait docilement rouler vers vous ou, tout au moins, dans votre direction. « *Euh-euh-euh* », dit-il en montrant du doigt le ballon. Les sons et les gestes sont le langage secret que bébé utilise pour dire : « *Apporte-moi mon nounours.* »

Les jouets sont parmi les premiers objets que l'enfant parvient à reconnaître et à nommer dans le langage parlé. Environ la moitié des mots qu'un enfant de douze mois comprend désignent des objets, des jouets pour la plupart. Ainsi, une grande partie du langage secret de bébé est composée de noms de jouets (camion, nounours, hochet) et d'expressions telles que «apporte-moi ceci» et «je veux jouer avec cela».

Cependant, l'importance des jouets dans le développement de l'enfant va bien au-delà des mimiques, du pointage du doigt et de l'apprentissage du vocabulaire passif. Si les jouets aident l'enfant à comprendre son monde, ils favorisent aussi la mise en place des composants de base de la relation parent-enfant: la communication et l'interaction.

Chaque jouet peut être un accessoire utilisé pour donner et recevoir. Le ballon de Loïc, par exemple, en roulant sur le plancher de la salle de jeux, met en place l'idée de «chacun son tour». D'abord maman le fait rouler, puis Loïc tente de le faire rouler vers maman. La plupart des jeux auxquels les parents jouent avec leurs bébés comportent exactement ce genre de danse rythmique, dans laquelle chaque partenaire accomplit certaines étapes chorégraphiées et attend patiemment que l'autre accomplisse les siennes. Attendre son

tour est à la base des relations interpersonnelles et surtout de la conversation. En effet, tôt dans la vie de bébé, le parent et l'enfant se livrent à des « proto-conversations » au cours desquelles maman parle à bébé ; une fois qu'elle a fini, bébé prend part à la conversation en souriant, en gloussant ou en battant des bras.

Prenez conscience que certains jouets favorisent mieux l'interaction que d'autres. Un jouet pour un

enfant d'âge préverbal doit être constitué « à 90 % de l'enfant lui-même et à 10 % du jouet », soutient Kathy Hirsh-Pasek, chercheuse dans le domaine de la créativité des enfants, de l'Université Temple de Philadelphie. Elle recommande des jouets que l'enfant peut pousser, étreindre, ramasser ou lancer, des jouets auxquels il peut « parler », ou des jouets qui peuvent bouger ou faire du bruit. C'est pourquoi les hochets, qui sont utilisés depuis des siècles, demeurent les favoris partout dans le monde. D'autres bons choix sont les jouets que l'enfant peut tenir et commenter par des mimiques et des mouvements. Les meilleurs de tous sont ceux qui peuvent être passés de l'enfant au parent et vice-versa, avec des vocalisations et des réactions adaptées. De tels jouets inspirent la créativité et l'exploration, même à un âge précoce.

Les jouets de qualité ne sont pas nécessairement des jouets fabriqués ou des articles achetés au centre commercial. Un jeu très apprécié des bébés de douze mois consiste à couvrir un animal en peluche avec la doudou, de dire « parti » (une des premières expressions préférées), puis de « redécouvrir » de façon spectaculaire l'animal disparu en poussant des cris de surprise feinte et de plaisir. Nul besoin de jouets coûteux pour jouer à ce jeu ! Un psychologue a enregistré un enfant qui « cachait » et « trouvait » comme par magie un jouet une quinzaine de fois consécutives en criant joyeusement chaque fois.

Voici d'autres suggestions de jouets qui aideront bébé à développer son langage secret :

**UN MOBILE**, bien sûr, est privilégié dès le plus jeune âge. Il devrait avoir des couleurs vives, des formes intrigantes et faire des mouvements accrocheurs. (Les mobiles aux couleurs pastel, bien qu'ils puissent améliorer la décoration de la chambre, ne capteront pas autant l'intérêt de bébé.) Les nourrissons s'ennuient de voir toujours les mêmes objets familiers ; c'est pourquoi le mobile devrait être changé périodiquement.

**DES ANIMAUX EN PELUCHE** à tenir, à étreindre et à qui parler. Ils font d'excellents partenaires pour bébé lorsque vous n'êtes pas là !

**UN DIABLE À RESSORT**. À un an, les bébés aiment les surprises, réelles ou imaginaires, même s'ils sont un peu effrayés au début, lorsque le diablotin jaillit hors de sa cachette. Regardez bébé frémir dans l'attente de voir le diablotin apparaître brusquement, puis vous redemander de remonter la boîte à ressort encore et encore.

**DES BOÎTES** de formes et de tailles différentes dans lesquelles l'enfant peut cacher des objets et les récupérer. Empiler des boîtes est une autre activité appréciée.

**DES CASSE-TÊTE** que vous et votre bébé pouvez faire ensemble. Choisissez des casse-tête aux couleurs vives dont les pièces sont grosses et épaisses. Faites des éloges à bébé avec des commentaires

appropriés : « Tu as trouvé la bonne pièce ! Bravo ! » Nommez-lui les objets représentés sur le casse-tête.

**DES INSTRUMENTS DE MUSIQUE**. Un xylophone, un piano ou d'autres instruments à percussion feront la joie de bébé, qui les frappera pour produire des bruits « musicaux ».

**DES LIVRES D'IMAGES CARTONNÉS OU EN TISSU** dont les pages ne peuvent être ni mâchées, ni chiffonnées, ni arrachées, mais que vous et bébé pouvez « lire » ensemble : « Trouve le petit cochon ! Il est là ! »

**UNE BOÎTE À MUSIQUE**, dont la mélodie, de préférence, a un rythme défini. Les bébés réagissent au rythme ; il existe une théorie selon laquelle cette réaction existerait déjà dans l'utérus, où le rythme cardiaque de la mère est omniprésent.

# AVONS-NOUS ENCORE DU PLAISIR?

## DES JEUX QUI FAVORISENT L'INTERACTION PARENT-BÉBÉ

*J*ouer, c'est le travail de l'enfant, a déclaré Jean Piaget, un pionnier dans l'étude du développement de l'enfant. En jouant, les enfants expérimentent des idées et apprennent des choses sur eux-mêmes, sur leur monde et sur les êtres qui le peuplent. Et les jeux parent-enfant sont au cœur de cette courbe d'apprentissage. Les jeux parent-enfant entretiennent la communication, mettent en place l'idée de jouer «chacun son tour» et contribuent à perfectionner le langage secret de bébé. Voici des jeux amusants qui visent ces objectifs.

# DE LA NAISSANCE À SIX MOIS

## LA MÉLODIE DU BONHEUR

Faites vivre à bébé une expérience musicale précoce en lui donnant un «récital» de sons différents produits par divers objets. Commencez par votre propre voix. Placez votre bébé sur vos genoux, face à vous. Chantez une phrase d'une comptine bien connue. Les frères et sœurs peuvent aussi y ajouter leurs propres interprétations. Faites une pause et souriez à chaque phrase, juste au cas où bébé serait prêt à se joindre à la chorale.

Sifflez quelques airs simples ou n'importe quelle chanson que votre bébé aime. Non seulement il appréciera l'air familier, mais il essaiera bientôt de vous imiter en plissant les lèvres.

Jouez du mirliton ou de l'harmonica, ou faites claquer des castagnettes. Bientôt, votre bébé essaiera de toucher aux instruments de musique ; vous pourrez alors jouer à tour de rôle ou en duo.

## LA BÉBÊTE QUI MONTE, QUI MONTE, QUI MONTE !

Dans le chatouillement, les rires viennent en grande partie de l'anticipation du plaisir. Jouez à ce jeu à une heure régulière, par exemple après la toilette de bébé. Variez les chatouilles ; faites-en parfois deux, parfois trois. Votre bébé commencera à anticiper la prochaine chatouille, ce qui ajoutera à son plaisir. Les comptines à chatouilles ne manqueront pas de ravir votre tout-petit.

## «BONJOUR BÉBÉ !»

Enregistrez des salutations par des voix familières, en commençant par votre propre «bonjour» lorsque votre bébé se réveille le matin, puis ajoutez d'autres voix familières, comme celle de la grande sœur, du petit frère, de grand-maman, d'un voisin, ou un aboiement de Bruno le chien. Vous pouvez aussi inclure quelques nouvelles voix prononçant les mêmes salutations, ou ajouter des chants d'oiseaux ou des sons de cloches. Écoutez l'enregistrement et faites une pause après chaque voix pour identifier les sons pour bébé.

# J'vais t'attraper !

Les parents jouent à «j'vais t'attraper !» depuis des générations et les règles changent toujours, à mesure que bébé passe du berceau à la position assise, puis commence à ramper, puis à marcher. En souriant et en riant, vous faites mine de vous emparer de bébé dans son berceau. Bébé s'esclaffe. Vous criez «j'vais t'attraper !» en vous penchant sur bébé, vous le chatouillez, puis vous l'arrachez de son berceau pour lui faire un câlin. La version suivante, lorsque bébé est mobile, vous amusera tous les deux : à quatre pattes, vous faites mine de poursuivre un bébé rieur sur le plancher de la salle de jeux. Lorsque bébé aura fait ses premiers pas, vous pourrez lui montrer le jeu du chat, mais n'oubliez pas de continuer à vous écrier «j'vais t'attraper !» lorsque vous le pourchassez. Même à cet âge, la phrase elle-même produira des cris de joie.

## SIX MOIS ET PLUS

### METS TON DOIGT EN L'AIR

L'heure du bain est un moment privilégié pour les parents et leurs bébés. La plupart des nourrissons sont impatients de prendre un bain, quelle que soit l'heure de la journée. Au moment du prochain bain, essayez ceci : retirez les jouets en caoutchouc et en plastique et placez bébé face à vous. (Vous pouvez aussi le faire lorsque bébé est sur le plancher ou dans sa chaise haute.) Chantez la chanson ci-contre, sur l'air de « T'es heureux et tu le sais ». Chantez d'abord la chanson vous-même, en montrant la partie correspondante du corps pendant que vous chantez. Ensuite, prenez la main de bébé et répétez la chanson, en guidant les doigts de bébé vers ses cheveux, son nez et ses orteils, comme l'indique la chanson. À mesure que la coordination de votre bébé se développe, ajoutez d'autres parties du corps : les genoux, les coudes, les mains, les pouces.

Ce jeu renforce la conscience que bébé a de son propre corps et l'aide à acquérir la maîtrise de ses mouvements ; il plante aussi les premiers jalons qui, plus tard, aideront bébé à pointer son doigt vers des objets et à dire leurs noms. Ainsi, ces mots peuvent devenir des piliers dans les messages parents-bébé.

### Mets ton doigt en l'air

Mets ton doigt en l'air
En l'air
Mets ton doigt en l'air
En l'air
Mets ton doigt sur ta chaussure
Sur ta chaussure
Mets ton doigt sur ta chaussure
Sur ta chaussure
Mets ton doigt sur ta chaussure
Laisse-le là un jour ou deux
Mets ton doigt sur ta chaussure
Sur ta chaussure
Mets ton doigt sur ton bedon
Sur ton bedon
Mets ton doigt sur ton bedon
Sur ton bedon
Mets ton doigt sur ton bedon
Pense à quelque chose de bon
Mets ton doigt sur ton bedon
Sur ton bedon
Mets tes doigts tous ensemble
Tous ensemble
Mets tes doigts tous ensemble
Tous ensemble
Mets tes doigts tous ensemble
Et tape, tape pour qu'il fasse beau
Mets tes doigts tous ensemble
Tous ensemble

# NEUF MOIS ET PLUS

### PARLE À TA MAIN !

Fabriquez une marionnette avec un gant de cuisine en y dessinant des yeux, un nez et une bouche à l'aide d'un marqueur permanent. Utilisez une chaussette que bébé ne porte plus pour créer une marionnette pour lui. Encouragez bébé à parler à sa main. Vous pouvez utiliser ces chaussettes et ces mitaines au début de chaque goûter pour dire bonjour, offrir la collation et enseigner les mots «s'il te plaît» et «merci». C'est une bonne façon de commencer les interactions sociales à table ; à mesure que bébé grandira, les conversations avec sa main chaussée d'une marionnette s'élargiront aux membres de la famille.

## DOUZE MOIS ET PLUS

### OYEZ, OYEZ...!

Avec bébé, décorez un tube de papier hygiénique pour lui et un tube de papier absorbant pour vous. Tenez votre tube devant votre bouche et dites «BONJOUR TOUT LE MONDE», comme si vous parliez à une foule dans un porte-voix. Vous pouvez même vous déplacer dans la pièce ou dans la maison pour annoncer un événement : «C'EST L'ANNIVERSAIRE DE GRAND-MAMAN AUJOURD'HUI», «LE DÎNER EST SERVI», «SOFIA A BU TOUT SON JUS D'ORANGE», «C'EST L'HEURE DE LA SIESTE».

Puis invitez bébé à faire de même avec son tube ; faites-lui faire des annonces aux personnes ou aux choses de la maison. Lorsqu'il sera capable de marcher avec régularité, bébé pourra vous suivre partout comme un haut-parleur ambulant. Ce jeu permet à bébé d'apprendre à faire la différence entre parler à une personne et parler à la chambre – ou à une foule. Bientôt bébé apprendra à parler à son «public» familial.

# FAIS-MOI SIGNE !

## ENSEIGNER LA LANGUE DES SIGNES AUX BÉBÉS : LE POUR ET LE CONTRE

C omme c'est frustrant ! Le petit Nathan gesticule frénétiquement pour que vous lui donniez un objet désiré et vous n'arrivez pas à deviner ce qu'il veut. Le camion ? Non. Le xylophone ? Non. L'animal en peluche ? Non, non et NON ! Maintenant, votre petit garçon est totalement frustré par votre manque de compréhension et éclate dans un gémissement inconsolable. Ah, si seulement il pouvait parler ! Si seulement il pouvait vous dire ce qu'il veut, ce qu'il ressent et ce qu'il pense ! Mais supposons qu'il puisse vous le dire, non pas avec des mots, mais avec des signes qui expriment clairement son idée. Il ne s'agit pas de la langue secrète subtile dont nous avons discuté jusqu'à présent et dont tous les bébés se servent, mais plutôt d'un phénomène plus moderne : la controversée langue des signes pour bébés.

La preuve est faite que la langue des signes pour les nourrissons a une influence positive sur le développement des enfants malentendants et des enfants ayant des troubles du développement. Mais les plus récents arguments sont fondés sur la conviction qu'elle peut être bénéfique pour tous les enfants.

Ces dernières années, les livres, DVD, ateliers et cours sur la langue des signes pour bébés ont connu une popularité croissante partout dans le monde. Toutefois, ces aides « prélinguales » suscitent une certaine controverse. D'une côté, les partisans de la langue des signes pour bébés font grand cas de ses avantages sur le plan du développement ; de l'autre côté, ses détracteurs disent qu'il s'agit tout simplement de la commercialisation d'une gestuelle parent-enfant qui a toujours existé, qu'elle n'offre pas d'avantages supplémentaires ou, pire, qu'elle est préjudiciable au développement normal de l'enfant.

Linda Acredolo, de l'Université de Californie à Davis, s'intéresse à la langue des signes pour bébés depuis qu'elle a remarqué que sa fille Kate reniflait et pointait son doigt vers une rose. Se rendant compte que le reniflement de Kate était la façon pour l'enfant de dire « fleur », au cours des semaines qui ont suivi, Linda Acredolo a vu sa fille utiliser des signes pour dire « encore », « chaud » et « chat ». La petite fille, qui n'avait pas encore prononcé son premier mot, avait construit tout un vocabulaire de signes. Cette découverte (et la confirmation de la part d'autres mères que leurs enfants utilisaient aussi des signes pour communiquer) a conduit à la rédaction d'un article, écrit en collaboration avec Susan Goodwyn (professeure de psychologie à l'Université d'État de Californie) intitulé « Symbolic Gesturing in Language Development : A Case Study ».

En 1996, les deux femmes ont publié leur premier livre, *Baby Signs : How to Talk with Your Baby before Your Baby Can Talk* – qui s'est vendu à plus d'un demi-million d'exemplaires aux États-Unis seulement – et ont fait suivre la publication d'une importante

tournée promotionnelle en passant à des émissions comme *Oprah* et *Good Morning America*.

Par ailleurs, Joseph Garcia avait commencé à étudier l'utilisation de la langue des signes chez les bébés qui entendent bien et dont les parents entendent bien aussi (ses travaux devaient former plus tard la base de son programme SIGN with your BABY©).

Le Baby Signs Institute, d'Acredolo et Goodwyn, et le programme SIGN with your BABY©, de Joseph Garcia, sont deux exemples de l'industrialisation de la langue des signes pour bébés, mais il en existe beaucoup d'autres. Les affirmations à l'égard de la langue des signes pour bébés varient d'un produit ou d'un programme à un autre. Toutefois, une étude réalisée par J. Cyne Topshee Johnston et Andrée

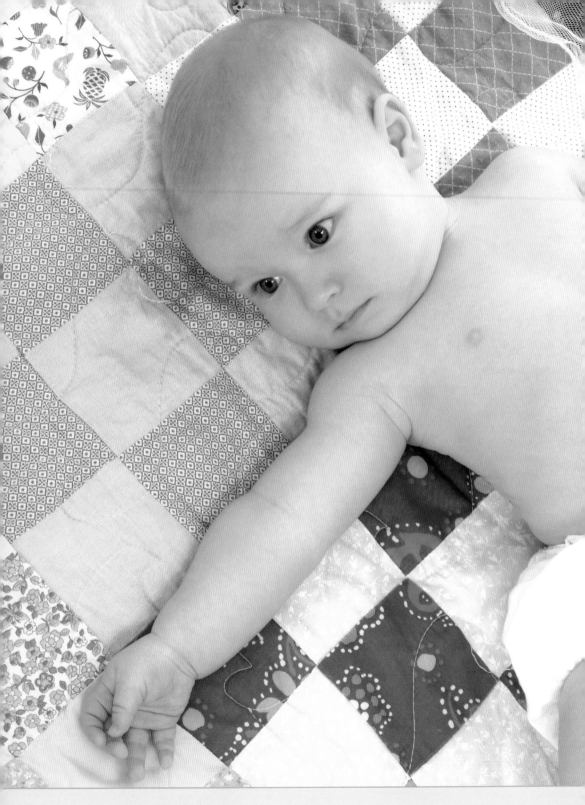

# Des mains qui parlent

Dans toutes les cultures, les enfants utilisent spontanément leurs mains pour communiquer et transmettre des pensées et des idées. Susan Goldin-Meadow, de l'Université de Chicago, a constaté ce phénomène dans une étude remarquable réalisée auprès d'enfants sourds. La chercheuse a établi le profil de dix enfants américains et de quatre enfants taïwanais qui étaient des sourds profonds. Tous étaient des enfants de parents qui entendaient bien et qui avaient délibérément évité d'exposer les enfants à la langue des signes, car ils souhaitaient faire apprendre aux enfants la lecture labiale et l'expression orale.

Néanmoins, les enfants ont senti la nécessité de «parler» et ont ainsi élaboré leur propre système de signes et de mimiques. Ils avaient inventé des signes pour indiquer non seulement des objets et des personnes, mais aussi des sentiments

et des émotions, comme la tristesse. À l'âge de cinq ans, ils pouvaient lier des chaînes de signes ensemble et construire des phrases entières, élaborant même leur propre grammaire. Ils étaient aussi habiles à communiquer que l'étaient leurs contemporains qui utilisaient des mots.

À l'instar des enfants qui entendent bien, les enfants sourds babillent, d'abord avec leur voix, puis en utilisant leurs mains. Ils se parlent à eux-mêmes. Susan Goldin-Meadow les a observés, dans leur berceau, bouger les mains dans des auto-conversations. Même si leurs premiers mots se rapportaient à des objets, des personnes et des lieux, ou à des actions telles que frapper et marcher, ils en arrivaient à avoir des idées plus complexes et pouvaient même communiquer au sujet d'actions faites dans le passé ou attendues dans l'avenir.

Durieux-Smith, de l'Université d'Ottawa, et par Kathleen Bloom, de l'Université de Waterloo, a révélé que la plupart des produits et programmes vantaient des avantages similaires, tels qu'une acquisition améliorée du langage, un lien parent-enfant renforcé et une réduction des comportements indésirables résultant d'un sentiment de frustration. Certains produits procureraient également des avantages durables à l'égard de l'intelligence de l'enfant. En outre, la langue des signes offrirait aux parents une perspective fascinante sur l'esprit de leurs enfants à un âge où la communication n'est pas des plus limpides.

À première vue, les raisons justifiant l'utilisation d'une langue des signes semblent relativement sensées ; elles sont basées sur le fait que la motricité grossière de l'enfant se développe plus tôt que sa motricité fine. En d'autres termes, un enfant est capable de communiquer par signes avant d'avoir acquis les habiletés physiques pour former des mots avec sa bouche et sa langue. Il est incontestable que les bébés sont capables de communiquer par gestes avant d'être capables de transmettre verbalement les mêmes concepts. Mais là n'est pas la question.

La critique la plus simple à l'égard du mouvement prônant la langue des signes pour bébés est celle-ci : cette technique n'est que la commercialisation de quelque chose que les parents et les enfants font depuis des temps immémoriaux. Pourquoi s'embêter à acheter des livres et des DVD, à assister à des ateliers ou à adhérer à des groupes spéciaux, alors que les enfants sont déjà capables de dire au revoir avec leurs doigts ou de lever leurs bras pour indiquer qu'ils veulent être pris ?

Les responsables de nombreux programmes de langue des signes pour bébés répondent à cette question en disant que, non seulement les signes choisis ont une justification précise et offrent des avantages particuliers, mais que l'apprentissage d'un système formel réduit la probabilité de confusion et que ce système peut être enseigné à toute personne qui a

## DERRIÈRE LES SIGNES

## Les filles contre les garçons

**Normalement, les filles commencent à parler plusieurs semaines avant les garçons et apprennent plus de mots plus tôt. Mais filles et garçons apprennent généralement la langue des signes pour bébés au même rythme.**

des contacts avec votre enfant. Néanmoins, ces arguments n'ont pas convaincu des détracteurs comme Nicola Grove, Ros Herman, Gary Morgan et Bencie Woll (orthophonistes au département de langues et communication, City University, Londres). Ceux-ci ont affirmé, en 2004, que ces allégations sont « malhonnêtes » et suggèrent à tort que les parents sont incapables de communiquer avec leurs enfants s'ils n'adoptent pas un système structuré de communication par signes. Dès 2003, le Collège royal des orthophonistes-logopèdes de Londres a publié un communiqué de presse pour exprimer ses préoccupations ; ce communiqué soutient que

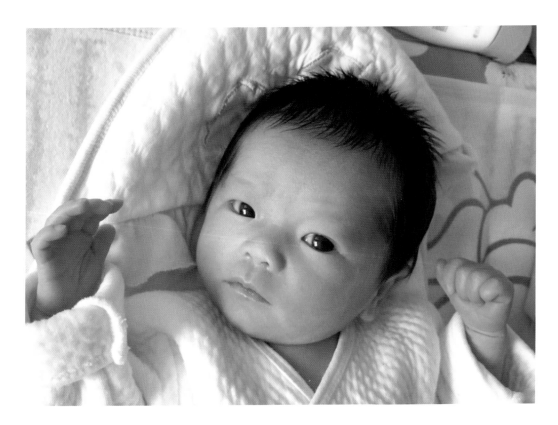

l'utilisation par les parents d'une langue de signes pour bébés ne doit pas remplacer la nécessité prioritaire de parler aux enfants.

Selon une autre critique, la preuve à l'égard des avantages de la langue des signes pour bébés repose sur une méthodologie bancale. Dans certains programmes, les affirmations qui sont faites ne sont fondées que sur des preuves anecdotiques, tandis que d'autres programmes citent des avantages qui ont été démontrés dans des études n'ayant aucun rapport avec le sujet. En outre, le faible nombre d'études, la taille généralement réduite des échantillons, la sélection parcellaire et les procédures de suivi inégales rendent leurs

 *Des faits*

Il est possible que certains des supposés avantages de la langue des signes pour bébés découlent d'une communication verbale accrue, d'un contact visuel appuyé et d'une attention conjointe soutenue.

# Allez plus loin

Si la langue des signes pour bébés vous intéresse et que vous ne savez pas par où commencer, il serait judicieux d'examiner plus en profondeur les deux côtés de la médaille. Pour vous aider dans votre réflexion, voici quelques ressources utiles.

Le livre qui a déclenché le mouvement de la langue des signes pour bébés est l'ouvrage *Baby Signs : How to Talk with Your Baby before Your Baby Can Talk* publié par les docteures Linda Acredolo et Susan Goodwyn.

Si vous cherchez un point de vue plus sceptique pour faire contrepoids, lisez le livre de l'auteure et journaliste Pamela Paul, *Parenting, Inc.*, une enquête sur l'industrie de l'éducation des enfants et une critique de la commercialisation de la parentalité moderne qui aborde la question de la langue des signes pour bébés.

Comme nous l'avons mentionné précédemment, l'article «Teaching Gestural Signs to Infants to Advance Child Development : A Review of the Evidence», par J. Cyne Topshee Johnston et Andrée Durieux-Smith, de l'Université d'Ottawa, et Kathleen Bloom, de l'Université de Waterloo, présente un excellent résumé de la preuve disponible et livre une bonne critique des avantages revendiqués à l'égard de la langue des signes pour bébés. Il a d'abord été publié dans la revue *First Language*, mais on peut maintenant lire le rapport à l'adresse www.research-works. ca/Projects.htm.

Un autre papier intéressant résumant le débat sur la question est l'article «The Great Baby Signing Debate», par Gwyneth Doherty-Sneddon, docteure et conférencière principale en psychologie à l'Université de Stirling, en Écosse. Écrit à l'origine pour l'édition d'avril 2008 de *The Psychologist*, l'article peut encore être lu dans les archives en ligne sur le site Web du magazine (www.thepsychologist.org.uk).

conclusions très peu convaincantes. Cela ne veut pas dire que ces conclusions sont erronées ou que la langue des signes pour bébés ne comporte aucun avantage ; cela veut simplement dire que la manière dont ces études ont été réalisées ne permet pas d'avoir la conviction que les résultats présentés ne sont pas dus à d'autres facteurs.

Alors, quelles conclusions pouvons-nous en tirer ? Le meilleur résumé semble être celui qui a été fait par Topshee Johnston, Durieux-Smith et Bloom dans leur article publié en 2005 : « Teaching Gestural Signs to Infants to Advance Child Development : A Review of the Evidence ».

Ces auteurs concluent que « si l'on ne peut pas être convaincu, en se basant sur les données de recherche disponibles, que la langue des signes chez les tout-petits a des avantages sur les plans social, cognitif et linguistique, on ne peut pas non plus imaginer qu'elle a des effets dommageables importants ». En bref, la question est encore en délibéré, puisqu'il n'existe pas suffisamment d'études de haute qualité sur le sujet. Toutefois, il est peu probable qu'il y ait des inconvénients importants à utiliser la langue des signes pour bébés, à condition qu'elle s'inscrive dans une communication mixte avec votre enfant et qu'elle ne remplace pas la communication verbale. Cela dit, les éléments fournis à l'égard des avantages demeurent peu convaincants et aucun parent ne devrait se sentir obligé de dépenser de l'argent sur la base de ces affirmations.

# FAISONS CAUSETTE !

## POURQUOI PARLER À BÉBÉ EST ESSENTIEL À SON DÉVELOPPEMENT

« *B*onjour, Joël », dites-vous à votre tout-petit de dix jours. « N'est-ce pas que tu es un joli bébé ? » Puis vous ajoutez : « Tu dois être mouillé, Joël. On va te mettre une couche toute propre et tu vas être au sec. » Puis, après le changement de couche : « Tu dois te sentir mieux, non ? Es-tu plus à l'aise ? »

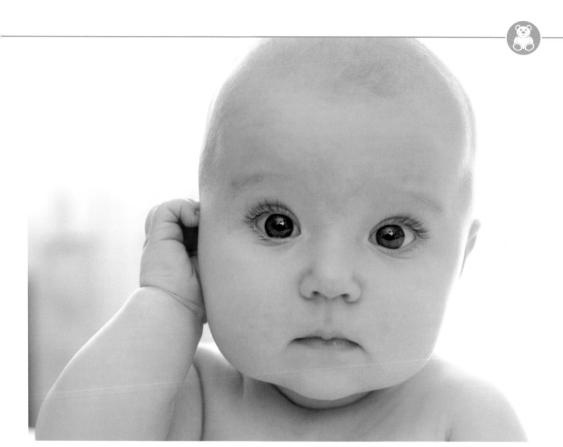

Vous pensez peut-être : « C'est ridicule de parler à un tout petit bébé alors qu'il ne comprend pas un traître mot de ce que je dis. »

Peut-être qu'il ne comprend pas mot à mot, mais Joël sent le rythme et l'intonation de votre voix. Vous ne gaspillez pas votre salive. Il écoute. Peu importe qu'il comprenne chaque mot ou non, il est essentiel – vital même – pour son développement qui vous conversiez de manière continue avec bébé. De nombreuses études ont démontré que l'intelligence ultérieure est directement liée à la quantité de conversations auxquelles les bébés ont été exposés dans les premiers jours de leur vie. Joël pointe son doigt vers quelque chose de l'autre côté de la chambre dans un langage secret de bébé. Vous répondez. La « conversation » est récompensée.

Les psychologues Betty Hart et Todd Risley, de l'Université du Kansas, ont mis en évidence ces avantages dans le cadre d'une étude d'une durée de trois ans réalisée auprès de 40 familles de Kansas City, Missouri, en 1995. Chaque mois, les membres de l'équipe de recherche visitaient chaque famille. Ils enregistraient le nombre de fois où les parents parlaient à leurs enfants, ce qu'ils leur disaient et la manière dont ils le disaient. Les résultats furent limpides. Plus les parents parlaient à leurs enfants, plus les enfants avaient un vocabulaire élaboré à trois ans et plus leur quotient intellectuel était élevé. Par rapport aux enfants à qui les parents avaient peu parlé, ils avaient une grande longueur d'avance. Une étude de suivi réalisée au moment où ces jeunes passaient à la troisième année scolaire a démontré que ces enfants maintenaient encore cette avance.

# Conversation avec bébé 101

Faites-vous partie de ces personnes qui se sentent mal à l'aise de bavarder avec les bébés ? Ou peut-être êtes-vous naturellement calme. Maintenant que vous savez à quel point il est important de bavarder avec bébé, vous comprenez pourquoi il est vital que vous surmontiez votre timidité et ayez une conversation avec fiston ! Voici quelques conseils pratiques pour les parents qui ont la langue difficile à délier :

SOYEZ VOUS-MÊME : Bien que certaines études aient démontré que parler en langage modulé (langage enfantin) d'une voix aiguë est bénéfique au développement cognitif du nourrisson, parler à bébé d'une voix normale de tous les jours est également bénéfique. Si converser en langage modulé ne vous vient pas naturellement ou si vous avez le sentiment de paraître idiot, ne vous tracassez pas. N'importe quel type de conversation avec bébé vaut mieux que le silence.

PENSEZ À CONVERSER PENDANT CHAQUE ACTIVITÉ : Pendant que vous nourrissez, baignez ou habillez bébé, ne manquez pas de décrire chaque étape. « Maintenant, j'enfile tes chaussettes sur tes jolis pieds. Tombé le pantalon ! » Appliquez cette habitude dans tout ce que vous faites ensemble.

UTILISEZ DES LIVRES POUR BRISER LA GLACE : Montrez des images à bébé et nommez tout ce que

vous voyez. Les mots sur la page ne sont pas très importants. Même des magazines feront l'affaire.

SOYEZ INQUISITEUR : « As-tu bien dormi ? », « Où est le chat ? », « As-tu faim ? » Bébé ne répondra pas avec des mots, mais il pourrait répondre avec des expressions faciales et des gestes.

EMBAUCHEZ UN MOULIN À PAROLES : Si vous prévoyez faire appel à une gardienne, pensez à choisir une personne bavarde plutôt que réservée et silencieuse, surtout si vous-même êtes du genre tranquille.

des mots imagés. Ils ne faisaient pas que bavarder pendant que l'enfant se promenait dans la pièce : ils parlaient la plupart du temps directement à l'enfant. Une maman près de bébé, mais parlant au téléphone à des amis, n'obtiendrait certainement pas les mêmes résultats.

Les parents des enfants les plus avancés verbalement avaient commencé à parler à leurs enfants dès la naissance. Ce qu'ils disaient n'avait pas beaucoup d'importance. Au début, les bébés étaient plus à l'écoute de la musique de la voix que des mots ; ils comprenaient peu à peu la façon dont les êtres « comme moi » communiquaient les uns avec les autres. Les messages positifs avaient plus d'effet

Mais la quantité de mots n'était pas le seul élément qui comptait. Le nombre de mots adressés directement à l'enfant ou prononcés en réponse aux gestes de l'enfant ou à des actions comptait aussi. Les enfants qui ont le plus bénéficié de ces conversations avaient des parents qui saisissaient au passage le langage corporel de l'enfant et le commentait. « Oui, Joël, c'est ton *nounours* ! Ton nounours est juste là-bas ! Tu veux que je t'apporte ton *nounours* ? », « Tu as aimé ton *jus*, Joël ? Tu veux encore du *jus* ? » On a noté une différence en fonction de la fréquence à laquelle les parents appelaient l'enfant par son nom et répétaient son nom.

Betty Hart et Todd Risle ont également constaté, peut-être sans surprise, que, plus les parents utilisaient un langage varié, plus l'enfant apprenait. Les enfants qui réussissaient le mieux avaient des parents qui émaillaient leurs conversations de noms, de verbes et d'adjectifs. Ils n'utilisaient pas le langage enfantin de base, mais s'exprimaient plutôt en phrases complètes, utilisaient des descriptions et

que les messages négatifs. «Oh, c'est beau, Joël! Tu as bu tout ton jus!» Fait intéressant, dans quelques-unes des familles à faible notation, les chercheurs ont constaté que les termes les plus souvent entendus étaient «Non!» et «Ne fais pas ça!».

La répétition est aussi importante; en fait, c'est la clé du succès dans le développement du langage: des chercheurs l'ont dit. Lorsque vous suivez le doigt tendu de Joël et que vous regardez vers la cible, vous dites: «Oui! Le *camion de pompier!* C'est ton *camion de pompier!* Tu veux le *camion de pompier*, Joël!» et répétez le mot, en le soulignant et en le prononçant clairement, pour aider l'enfant à l'insérer dans la structure de son langage compris. De même,

## Des faits

**Les bébés à qui l'on parle beaucoup sont très expressifs. Les bébés dont on prend soin normalement, mais en silence, vocalisent beaucoup moins.**

lorsqu'il désigne un objet sans dire un mot, vous indiquez aussi l'objet, montrant ainsi à bébé que le geste du doigt et le langage secret sont réellement un moyen que les personnes utilisent pour dire aux autres ce qu'elles veulent et ce qu'elles pensent. Le jeu du «miroir», qui fait partie de la même leçon sur la répétition, fournit à l'enfant une action ou une expression faciale qui reflète directement ce qu'il exprime lui-même et lui dit que son message est bien reçu. En prenant la même expression faciale que bébé, vous lui dites ce qu'il est, ce qu'il fait et même ce qu'il ressent – votre sourire en réponse renforce le sourire sur le visage de bébé.

Votre ton de voix véhicule aussi des messages. Un chercheur a démontré que si vous souriez à un bébé tout en lui parlant d'une voix rauque, bébé va en être bouleversé, alors que si vous froncez les sourcils en lui parlant d'une voix apaisante, bébé demeure calme.

Les mots et les gestes travaillent de concert pour favoriser la communication entre vous et votre bébé. Le langage secret des bébés (le discours contenu dans les mouvements du corps, les expressions faciales et les doigts pointés) est le côté bébé de l'équation. C'est le moyen que bébé a de se rapprocher de vous et de vous «parler». Votre côté de l'équation consiste à prononcer les mots rassurants qu'il a besoin d'entendre de votre part.

Et surtout, écoutez. Pas seulement avec vos oreilles (parce que vous savez maintenant que votre enfant vous parle par de nombreux moyens silencieux), mais avec vos yeux, vos sens, vos instincts naturels et une ouverture de cœur et d'esprit. Écoutez et entendez tout ce que bébé a à vous dire et vous commencerez à forger un lien de communication qui, nous l'espérons, durera jusqu'à l'âge adulte.

# LE DERNIER MOT

## ET LE PREMIER

*L*e langage secret des bébés est une étape importante dans le développement de votre enfant, mais ce n'est qu'un tremplin vers le langage significatif des adultes. À environ un an (un peu plus tard pour les garçons, un peu plus tôt pour les filles), bébé prononce son premier mot reconnaissable. Il est possible, quelques jours avant cet événement, que bébé ait fait des vocalises intentionnelles que ses parents n'ont pas reconnues comme des mots. Néanmoins, ce premier « maman » ou « papa » marque le début de la vraie communication au sens adulte du terme.

Un an plus tard, à l'âge de deux ans, un enfant peut généralement prononcer une cinquantaine de mots ; ceux-ci désignent surtout des personnes ou des objets familiers comme « maman » ou « biscuit ». D'ailleurs, à ce stade, bébé peut généralement mettre deux mots ensemble dans une phrase compréhensible simple, telle que « perdu biscuit ». Dès lors, il comprendra de nombreux autres mots et progressera vers un vocabulaire toujours plus vaste et plus riche.

Le tableau ci-contre, fourni par l'American Speech and Hearing Associations, effleure les stades du développement de la communication à partir des mimiques et du « langage secret » du nourrisson jusqu'au discours de l'enfant à huit ans. Bien sûr, tous les enfants ne suivent pas ce schéma avec précision ; certains sont plus bavards que d'autres, certains sont plus précoces que d'autres et certains sont timides et ont tendance à garder leurs pensées pour eux-mêmes. De plus, la progression de la communication ne se fait pas nécessairement à un rythme régulier ; le schéma peut être inégal ou se produire par poussées soudaines. En dépit de sa capacité nouvelle de parler, votre bambin n'abandonnera pas totalement son « langage secret », et ce, pendant encore de nombreuses années. Certains vestiges de ce langage, comme montrer du doigt, persisteront, en effet, jusqu'à l'âge adulte.

# Tableau du développement du langage

## Comment votre enfant parle-t-il et écoute-t-il?

| ÂGE | ENTENDRE, COMPRENDRE ET PARLER |
|---|---|
| De la naissance à trois mois | Sursaute aux bruits forts.<br>S'apaise ou sourit lorsqu'on lui parle.<br>Semble reconnaître votre voix et se calme s'il pleurait.<br>Fait mine de téter avec plus ou moins de vigueur en réponse aux sons.<br>Émet des sons de plaisir (gazouillis, roucoulades).<br>Crie différemment pour des besoins différents.<br>Sourit lorsqu'il vous voit. |
| De quatre à six mois | Déplace les yeux en direction de sons.<br>Répond aux changements dans le ton de votre voix.<br>Remarque les jouets qui font des sons.<br>Est attentif à la musique.<br>Gazouille comme s'il parlait, en produisant beaucoup de sons différents, y compris p, b, m.<br>Exprime vocalement son excitation et son déplaisir.<br>Émet des gazouillis lorsqu'il est seul et lorsqu'il joue avec vous. |
| De sept mois à un an | Aime jouer à «Coucou me voici» et à «Tape des mains».<br>Se retourne et regarde dans la direction des sons.<br>Écoute lorsqu'on lui parle.<br>Reconnaît les mots désignant des objets communs comme «tasse», «chaussure», «jus».<br>Commence à répondre à des demandes («Viens ici!», «Tu en veux encore?»).<br>Se sert dans son babillage de groupes de sons longs et de sons courts, comme «ta-ta op-op bi-bi-bi-bi».<br>Utilise la parole ou des sons sans pleurer pour obtenir de l'attention.<br>Imite différents sons ressemblant à des mots.<br>Dit un ou deux mots (bye-bye, papa, maman), pas très clairement. |

# Tableau du développement du langage

*Comment votre enfant parle-t-il et écoute-t-il ?*

| ÂGE | ENTENDRE, COMPRENDRE ET PARLER |
|---|---|
| De un à deux ans | Pointe son doigt vers quelques parties de son corps à l'invite.<br>Suit des commandes simples et comprend des questions simples<br>(«Fais rouler le ballon», «Où est ta chaussure ?»).<br>Écoute des histoires, des chansons et des comptines simples.<br>Montre les objets illustrés dans un livre lorsqu'on les nomme.<br>Dit de nouveaux mots chaque mois.<br>Pose des questions à un ou deux mots («Où minou ?», «Va bye-bye ?»).<br>Met deux mots ensemble («encore biscuits», «livre maman»).<br>Utilise de nombreux sons différents de consonnes au début des mots. |
| De deux à trois ans | Comprend les différences de sens («aller, arrêter», «dans, sur»,<br>«petit, gros», «haut, bas»).<br>Suit deux requêtes simultanées («Prends le livre et mets-le sur la table»).<br>A un mot pour pratiquement tout.<br>Fait des «phrases» à deux ou trois mots pour parler et demander<br>des choses.<br>Se fait comprendre est compris par les interlocuteurs familiers la plupart<br>du temps.<br>Demande ou indique souvent des objets en les nommant. |
| De trois à quatre ans | Vous entend lorsque vous appelez d'une autre pièce.<br>Entend la télévision ou la radio au même volume que les autres<br>membres de la famille.<br>Comprend des questions simples : Qui ? Quoi ? Où ? Pourquoi ?<br>Parle au sujet d'activités qui ont eu lieu à l'école ou chez des amis.<br>Se fait comprendre en général par les personnes extérieures à la famille.<br>Fait beaucoup de phrases de quatre mots ou plus.<br>Habituellement parle aisément, sans répéter les syllabes ou les mots. |

# Tableau du développement du langage

## *Comment votre enfant parle-t-il et écoute-t-il ?*

| ÂGE | ENTENDRE, COMPRENDRE ET PARLER |
|---|---|
| De quatre à cinq ans | Est attentif à une courte histoire et répond à des questions simples sur l'histoire.<br>Entend et comprend la plus grande partie de ce qui est dit à la maison et à l'école.<br>A une voix claire comme celle des autres enfants.<br>Fait des phrases qui contiennent beaucoup de détails (par exemple, « J'aime lire mes livres »).<br>Raconte des histoires qui collent au sujet.<br>Communique facilement avec d'autres enfants et adultes.<br>Prononce la plupart des sons correctement, sauf quelques-uns comme l, s, r, v, z, ch.<br>Utilise la même grammaire que le reste de la famille. |

*Tableau offert gracieusement par l'American Speech and Hearing Association*

# AU SUJET DES AUTEURS

*L*es époux Sally Valente Kiester et Edwin Kiester fils forment un tandem dont les écrits sur la santé, la science, l'éducation et le développement de l'enfant ont été largement publiés aux États-Unis et partout dans le monde. Ils ont écrit en collaboration le livre Better Homes & Gardens New Baby Book et un guide pour une meilleure alimentation, Eating Healthy, Better Homes & Gardens. Ils ont aussi écrit de nombreux articles sur l'éducation et la santé pour le Reader's Digest et ses éditions internationales. The Secret Language of Babies *est leur douzième livre.*

Sally Valente Kiester est titulaire d'un doctorat en éducation de l'Université Stanford. En plus d'avoir écrit de nombreux articles dans des revues professionnelles, elle a été consultante en perfectionnement professionnel et formation continue. Elle a siégé au conseil d'administration de la Palo Alto Foundation for Education et a tenu une position de leader dans l'Association américaine des femmes diplômées des universités, qui l'a nommée la Femme par excellence de l'année 2005 de l'État de Pennsylvanie.

Edwin Kiester fils a été éditeur en chef pour plusieurs magazines nationaux, rédacteur pour le *Reader's Digest* et collabore fréquemment au magazine *Smithsonian*. Il a écrit plus de deux mille articles pour des publications importantes. Il a également publié le livre *Better Homes & Gardens Family Medical Guide*. Il a été nommé membre honoraire de Sigma Xi, société internationale de recherche scientifique, pour ses écrits sur les sciences et la santé. Les Kiester ont vécu en Angleterre, en Espagne, au Mexique, aux Philippines, à Hong Kong, à New York et en Californie. Edwin Keister fils vit maintenant à Pittsburgh, en Pennsylvanie.

# REMERCIEMENTS

*C*e livre a connu une longue période de gestation ; par conséquent, nous exprimons toute notre gratitude à de nombreuses personnes pour leur contribution, leur soutien et leur empressement à répondre aux appels téléphoniques répétés, aux nombreux courriels et aux demandes de publications, d'articles scientifiques et de conseils que nous leur avons adressés.

La genèse du livre remonte à notre première édition du *Better Homes & Gardens New Baby Book* et aux articles ultérieurs sur le développement des enfants pour *Smithsonian, Reader's Digest* et d'autres publications. Gerry Knox, de *Better Homes & Gardens*, et Norman Smith, du *Reader's Digest*, méritent ainsi des remerciements particuliers, bien que tardifs.

Les époux Patricia Kuhl et Andrew Meltzoff, de l'Université de Washington, connus internationalement pour leurs idées novatrices sur le développement de l'enfant, ont toujours trouvé le temps, dans de longues conversations, de nous parler de leur travail, de nous remettre sur la bonne voie lors de moments de confusion et, dans le cas de Patricia, de nous démontrer de manière frappante les expériences de communication préverbale qui lui ont valu sa renommée. Les explications d'Andrew sur sa théorie du «comme moi» comme fondement des relations parent-enfant ont donné forme au manuscrit final.

Colwyn Trevarthen, de l'Université d'Édimbourg en Écosse, a accueilli chaleureusement nos enquêtes transatlantiques et nous a fourni de nombreuses références tirées de ses importants travaux.

Roberta Minchnick Golinkoff, de l'Université du Delaware, et Kathy Hirsh-Pasek, de l'Université Temple, nous ont fait faire des visites éclairantes de leurs laboratoires et nous ont accordé de longs entretiens téléphoniques, tout en partageant avec nous des réminiscences de notre *alma mater* commune, l'Université de Pittsburgh. Lors de nombreuses conversations téléphoniques tard le soir, Susan Goldin-Meadow, de l'Université de Chicago, nous a aimablement expliqué son travail auprès d'enfants sourds et la façon dont ceux-ci élaborent leurs propres méthodes de communication sans paroles. Paul Holinger, M.D., a partagé avec empressement ses conclusions sur les expressions faciales des bébés et sur les messages qu'elles véhiculent. Barry Lester, de l'Université Brown, nous a guidés dans le répertoire des pleurs des nourrissons pour nous expliquer les messages qu'ils transmettent. Lise Eliot, de l'École de médecine de Chicago, elle-même mère de jeunes enfants, a pris le temps de nous décrire les modifications physiques et neurologiques qui permettent aux bébés de créer leur langage secret. Et, enfin, Linda Acredolo nous a expliqué avec enthousiasme comment la langue des signes élaborée par son propre enfant avait conduit au mouvement «Baby Signs», qui se répand partout dans le monde.

Nous remercions Hannah et Natalie Soler et leurs parents, Maria Teresa et Joe Solerde, de nous avoir donné l'impulsion d'écrire ce livre.

Les Breitwiesers (Jochen, Katja, Nick et surtout Lucy, qui parlait couramment deux langues à l'âge de trois ans et qui fut notre interprète allemand-anglais) ont été une source d'inspiration et nous ont permis d'avoir un éclairage européen. Ils nous ont aussi appris à chanter «Hoppe, Hoppe Reiter», la version allemande de la comptine classique du «petit galop» que les adultes, dans toutes les cultures, répètent aux bébés en les faisant sauter sur leurs genoux.

Une autre personne inspirante a été Marge Collins, de Palo Alto, en Californie, une talentueuse professeure de lecture qui nous a livré de nombreuses réflexions sur la façon dont les enfants passent de la communication préverbale au langage parlé, puis à la magie de l'écriture. Un vieux camarade de collège et heureux père, Richard Ferketic, nous a conduits à sa fille, Michele Ferketic Eberhard, de l'American Hearing and Speech Association, qui, à son tour, nous a permis d'accéder à des experts en développement de la communication. Nous remercions également Evelyn Murrin pour nous avoir indiqué des travaux portant sur le développement du jeune enfant commandités par Peace Links de Pittsburgh.

Même à l'ère d'Internet, les bibliothèques sont indispensables aux auteurs curieux. Nous remercions le personnel de la bibliothèque Carnegie de Pittsburgh et de la bibliothèque Hillman de l'Université de Pittsburgh.

**Sally Valente Kiester, Ed.D.**
**Edwin Kiester fils**

# BIBLIOGRAPHIE

Acredolo, Linda et Susan Goldwyn, ainsi que Doug Abrams, *Baby Sign,* Chicago, Contemporary Books, 2002.

Blasi, Wendy S. et Roni Cohen Lieberman, dir. gén., *Baby Play,* San Francisco, Creative Publishing International, 2004.

Bloom, Lois, *One Word at a Time,* The Hague, Mouton, 1973.

Bloom, Lois, *Breaking the Language Barrier,* commentaire de Kathy Hirsh-Pasek et George C. Hollisch, Roberta Golinkoff, Boston, Blackwell Publishers, 2000.

Bloom, Lois, *The Transition from Infancy to Language,* Cambridge, U.K. et New York, 1993.

Bloom, Lois et Erin Tanker, *The Intentional Model and Language Acquisition,* Boston, Blackwell Publishers, 2001.

Bloom, Lois et Margaret Lahey, *Language Development and Language Disorders,* New York, Wiley, 1978.

Brazelton, Berry, *Infants and Mothers: Differences in Development,* New York, Dell Publishing, 1983.

Carpenter, Malina, Katherine Nagell et Michael Tomasello, avec les commentaires de George Butterworth, *Social Cognition, Joint Attention and Communicative Competence from 9 to 15 Months of Age,* Chicago, University of Chicago Press, 1998.

Eisenberg, Arlene, Heidi E. Murkoff et Sandee E. Hathaway, *What to Expect the First Year,* New York, Workman Publishing, 1989.

Eliot, Lise, *What's Going On In There? How the Brain and Mind Develop in the First Five Years of Life.*, New York, Bantam Books, 1999.

Goldin-Meadow, Susan, *Hearing Gesture: How Our Hands Help Us Think,* Cambridge, Massachusetts, Belknap Press of Harvard University Press, 2003.

Goldin-Meadow, Susan, *The Resilience of Language*, New York, Psychology Press, 2003.

Goldin-Meadow, Susan et Carolyn Myland, *Gestural Communication in Deaf Children,* Chicago, University of Chicago Press for the Society for Research in Child Development, 1984.

Golinkoff, Roberta M. et Kathy Hirsh-Pasek, *How Babies Talk: The Magic and Mystery of Language in the First Three Years of Life,* New York, Dutton, 1999.

Gopnik, Alison, Andrew N. Meltzoff et Patricia K. Kuhl, *The Scientist in the Crib.* New York, William Morrow, 1999.

Gruber, Howard E. et J. Jacques Voneche, *The Essential Piaget,* New York, Basic Books, 1977.

Hirsh-Pasek, Kathy et Roberta M. Golinkoff, *Einstein Didn't Use Flash Cards,* Emmaus, Pennsylvania, Rodale Press, 2003.

Holinger, Paul C., *What Babies Say Before They Can Talk,* New York, Fireside, 2003.

Jaffe, Joseph, *The Rhythm of Dialogue in Infancy,* commentaires de Philippe Rochat et Daniel N. Stern, Boston, Blackwell Publishers, 2001.

Kiester, Edwin fils et Sally Valente Kiester, *Better Homes & Gardens New Baby Book,* Des Moines, Iowa, Meredith, 1976, 1988 et 1992.

Leach, Penelope, *Your Baby and Child: From Birth to Age Five, New Edition,* New York, Alfred A. Knopf, 1995.

Lester, Barry M., dir., et C.F. Zachariah Boykdois, *Infant Crying,* New York, Plenum Press, 1985.

Lester, Barry M., avec Catherine O'Neill Grace, *Why Is My Baby Crying?,* New York, HarperCollins, 2005.

Marshall, Connie, *From Here to Maternity,* Minden, Nevada, Conmar Publishing, 1997.

Meltzoff, Andrew N. et Wolfgang Prinz, dir., *The Imitative Mind,* Cambridge, U.K. et New York, Cambridge University Press, 2002.

Nadel, Jacqueline, *Imitation in Infancy,* Cambridge, U.K. et New York, Cambridge University Press, 1999.

Rochat, Philippe, *The Infant's World,* Cambridge, Massachusetts, Cambridge University Press, 2004.

Rochat, Philippe, dir., *Early Social Cognition,* Mahwah, New Jersey, L. Erlbaum Associates, C 1999.

Sanger, Sirgay, *Baby Talk, Parent Talk,* New York, Doubleday, 1991.

Shelov, Steven P., dir., *The American Academy of Pediatrics: Caring for Your Baby and Young Child: Birth to Age Five, édition révisée,* New York, Bantam Books, 1998.

Starting Young[SM]: *Supporting Parents for Peaceful Lifestyles,* A Peace Links publication, Brackenridge, Pennsylvania, Motinicua Press, 2005.

Stern, Daniel N., *The Diary of a Baby,* New York, Basic Books, 1990.

Stern, Daniel N., *The First Relationship: Mother and Infant,* Cambridge, Massachusetts, Harvard University Press, 1977.

Stern, Daniel N., *The Interpersonal World of the Infant,* New York, Basic Books, 1985.

Stern, Daniel N., *The Motherhood Constellation,* New York, Basic Books, 1995.


**ARTICLES**

Acredolo, L. et S. Goodwyn, « Sign Language Among Hearing Infants: The Spontaneous Development of Symbolic Gestures », *From Gesture to Language in Hearing and Deaf Children,* V. Volterra et C. Erting, dir. New York, Springger-Verlag, 1990.

Acredolo, L. et S. Goodwyn, « Symbolic Gesturing in Normal Infants », *Child Development* 59, p. 450-466.

Andruski, J. et P.K. Kuhl, « The Acoustic Structure of Vowels in Mothers' Speech to Infants and Adults », *The Proceedings of the 1996 International Conference on Spoken Language Processing,* vol. 3, p. 1545-1548, 1996.

Brooks, R. et A.N. Meltzoff, « The Development of Gaze Following and its Relation to Language », *Developmental Science,* 2005.

Damasio, A.R. et H. Damasio, « Brain and Language », *Scientific American,* 267 : 88-95, 1992.

D'Arcangelo, M., « The Scientist in the Crib: A Conversation with Andrew Meltzoff », *The Science of Learning,* vol. 58, n° 3, Novembre, 8-13, 2000.

Golinkoff, R.M., « 'I Beg Your Pardon?' The Preverbal Negotiation of Failed Messages », *Journal of Child Language,* 13, (1986) 455-476, 1985.

Golinkoff, R.M., « When is Communication a 'Meeting of Minds'? », *Journal of Child Language 20* (1993), 199-207, 1991.

Gopnik, A., « The Acquisition of 'Gone!' and the Development of the Object Concept », *Journal of Child Language,* 11 : 273-92, 1984.

Gopnik, A., « Conceptual and Semantic Development as Theory Change: The Case of Object Permanence », *Mind and Language* 3 : 197-216, 1988.

Grieser, D.L. et P.K. Kuhl, « Acoustic Determinants of Infant Preference for Motherese Speech », *Infant Behavior and Development* 10 : 279-93, 1987.

Harding, C.G. et R.M. Golinkoff, « The Origins of Intentional Vocalizations in Prelinguistic Infants », *Child Development*, 33-40, 1979.

Hart, B. et T.R. Risley, « American Parenting of Language-Learning Children : Persisting Differences in Family-Child Interactions Observed in Natural Home Environments », *Developmental Psychology* 28, 1096-1105, 1992.

Joseph, R., « Cingulate Gyrus », *Neuropsychiatry, Neuropsychology, Clinical Neuroscience,* 3ᵉ édition, New York, Academic Press, 2000.

Kiester, Edwin fils, « Accents Are Forever », *Smithsonian*, janvier 2001.

Kuhl, P.K., « Learning and Representation in Speech and Language », *Current Opinion in Neurobiology*, 4 :812-822, 1994.

Kuhl, P.K., « Innate Predispositions and the Effects of Experience in Speech Perception : The Native Language Magnet Theory », B. de Boysson-Bardies, S. de Schonen, P. Jusczyk, P. McNeilage et J. Mortons (dir.), *Developmental Neurocognition : Speech and Face Processing in the First Year of Life,* Boston, Kluwer, 1993.

Kuhl, P.K., K.A. Williams, F. Lacerda, K.N. Stevens et B. Lindblom, « Linguistic Experience Alters Phonetic Perception in Infants by 6 Months of Age », *Science,* 255 : 606-608, 1992.

Liszkowski, U. et M. Carpenter, A. Henning, T. Striano et M. Tomasello. « Twelve-Month-Olds Point to Share Attention and Interest », *Developmental Science*, 7, 297-307, 2001.

Meltzoff, A.N., « Imitation and Other Minds : The 'Like Me Hypothesis' », *Perspective on Imitation :*

*From Neuroscience to Social Science*, S. Hurley et N. Chater, dir., vol. 2, p. 55-77. Cambridge, Massachusetts, MIT Press, 2005.

Meltzoff, A. et M. Keith Moore, « Imitation of Facial and Manual Gestures by Human Neonates », *Science,* New Series, v. 198 : 4312, 75-78, 1977.

Trevarthen, C. et K.J. Aitken, « Infant Intersubjectivity : Research, Theory and Clinical Applications », *Annual Research Review, Journal of Child Psychology and Psychiatry*, 42 (1), 3-48, 2001.

Trevarthen, C., « Communication and Cooperation in Early Infancy : A Description of Primary Inter-subjectivity », *Before Speech*, M. Bullowa, dir., 321-347, New York, Cambridge University Press, 1979.

Trevarthen, C. et P. Hubley, « Secondary Intersubjectivity : Confidence, Confiding and Acts of Meaning in the First Year », *Action, Gesture and Symbol : The Emergence of Language*, dir., A. Lock, 183-229, New York, Academic Press, 1978.

# INDEX

**A**

Accents, 14

Acredolo, Linda, 159, 164

Allaitement maternel, 45, 46

American Speech and Hearing Association, 174

Amour intéressé, 130

Amygdale, 22

Angoisse de la

    peur des étrangers, 22, 131, 132, 133

    peur des lieux inconnus, 134

    séparation, 49, 127, 130, 131, 133, 135

Animaux en peluche, 150

Anthropologie, 13

Apgar, Virginia, 77

Apprentissage, imitatif. *Voir* Imitation.

Attachement, 22, 129-131

Attention conjointe, 118

**B**

Babillage, 100-103, 175

Bains, 158

Biologie, 13, 29

Blocs, 71

Boîtes, 151

Boîtes à musique, 151

Bowlby, John, 130

Bras, 122-125

Brooks, Rechele, 139

Butterworth, George, 108, 121

Bye-bye, signification de, 72

**C**

Casse-tête, 151

Cause et effet, 32

Cerveau, développement du, 13, 16, 22, 24

Chacun son tour, 89, 91, 150, 153

Chaleur, 50

Champ d'attention, 97, 129

Chanter, 153

Chatouiller, 145, 153

Chimpanzés, 107, 141

Clinique des coliques (Providence, Rhode Island), 42

Colère, 53

Coliques, 42, 45

Communication, 150, 153

    négative, 81-85, 170

    non verbale, 10, 15, 16, 17, 20, 38, 72, 68-73, 84, 85, 92-97, 105-109, 114, 115, 119, 121, 161, 160-165

    positive, 170

    rétroaction, 101, 108,

    verbale, 98-103, 166-171

Communauté du « comme moi ».

    *Voir* Intersubjectivité.

Comportement social, 15

Comptines, 88, 89, 91, 153

Contrition, 60

Conversation avec bébé, 168, 169

Conversations, 19, 116, 117, 150

Coordination, 95

    œil-main, 64, 65, 67

    main-bouche, 64

Copier. *Voir* imitation.

Corps, 70, 155

    langage, 68-72, 94-97, 132-135

Couche mouillée, 49

Couches, 45, 49

Coucou me voici ! (jeu), 72, 86-88, 90, 91

Couleurs, 28, 36

Curiosité, 128, 129, 131

**D**

Dangers, 82, 98, 127

Debout, 78

Décoration, chambre d'enfants, 39

Dégoût, 60

Désarroi, 58
Développement, 11, 13, 14-16, 18-25, 28, 29, 39,
    88, 125, 150
   émotionnel, 29
   mental, 87, 101, 114, 130
   physique, 31, 70, 71, 72, 78, 100, 102
Diable à ressort, 151
*Diary of a Baby* (Stern), 94
Dormir, 28
Douleur, 42, 43, 45, 48, 56, 78

**E**

*Einstein Didn't Use Flashcards* (Golinkoff et Hirsh-
   Pasek), 83
Empreinte du pied, 77
Enfant collant, 133
Ennui, 58, 86, 145
Enregistrements audio, 153
Entendre, 175-177
   *Voir aussi* Surdité.
Épices, 45
Épuisement, 48, 50, 145
Être rassuré, 127, 130
Expressions faciales, 52-61, 82
   calendrier, 54
   colère, 59
   dégoût, 60
   désarroi, 58
   guide, 57-61
   honte, 60
   intérêt, 57
   joie, 57
   peur, 59
   répulsion, 61
   surprise, 58

**F**

Faiseur, 141
Freud, Anna, 130
Fringale, 45
Froid, 43, 50
Frustration, 51, 59, 69, 158

**G**

Gardiennes, 184, 185, 188
Goldin-Meadow, Susan, 38, 119, 121, 137, 161,
   182
Golinkoff, Roberta Minchnick, 82-85, 182
Goodwyn, Susan H., 165
Goût, 62, 64, 65
Groupes de jeu, 127, 134

**H**

Harlow, Harry, 130
Hart, Betty, 167
Haut-parleur (jeu), 157
Hirsh-Pasek, Kathy, 82, 83, 150, 182
Hochets, 150
Holiger, Paul, 56
Honte, 60
Humeur, 143
Hyperstimulation, 48, 50, 142-147

**I**

Imitation, 55, 136-141
Indice d'Apgar, 77
Instruments de musique, 151, 158
Interaction, 150, 152-157
Interdépendance humaine, 15
Intérêt, 57
Intersubjectivité, 21, 27, 29, 87, 138
   secondaire, 108
Intonation, 83, 91, 100

**J**

Jambes, 74-79
James, William, 13, 28
Jeu du miroir, 171
Jeux, 86-91, 92-97, 124, 125,
   150, 152-157
Joie, 57
Jouer à la dure, 145
Jouets, 148-151
   cachés, 150, 151
Jumeaux, 109, 141

**K**

Kuhl, Patricia, 13-14, 181

**L**

Langage adressé aux enfants, 30
Langage, 101, 118
    développement du, 139, 172-177
Langage modulé.
    *Voir* Langage adressé aux enfants.
Langue des signes, 119, 121, 138, 140, 161,
       162-165
    bébé, 158-165
Langue des signes pour bébés, 159, 162, 165
Langue saillante, 55, 138-140
Lester, Barry, 42, 45, 182
Livres d'images, 151

**M**

Mains, 62-65, 67, 70, 108
    saisir, 51, 64, 65, 95, 111, 112
Maladie, 48
Manipulation, 96-97
Marcher, 76-79
Marionnette, 156
Marshall, Connie, 147
Mécanismes de défense, 54, 60, 61
Meltzoff, Andrew, 13, 55, 138, 139, 181
Mémoire, 72, 82, 96, 113, 114, 129
Mère, 16, 20, 21
    approbation de la, 130
    attachement à la, 126-131
*Mets ton doigt en l'air* (chanson), 155
Mimétisme.
    *Voir* Imitation.
Mimiques, 11, 12, 62-67, 70, 72, 104-109, 110-115,
    116-121, 123-125, 158-165
Mobiles, 28, 150
Mobilité, 126-131
Montrer du doigt, 11, 67, 104-109, 110-115, 116-121,
       158-165, 171
    pointage déclaratif, 108, 109
    pointage impératif, 111
    variations culturelles, 106, 109, 121
Moore, M. Keith, 140

Motifs, 28, 36
Mots, compréhension des, 72, 118, 120, 121, 139,
    166-171
Moulin à vent, 68-72
    tranquille, 71
Mouvement, 16, 30, 140
Musique, 29, 31, 153

**N**

Négociation, 84, 85
Nez, 60, 61
Noms, 82, 123, 168
Nourrissons
    fille, 109, 118, 162
    garçon, 118, 162

**O**

Orteils, 82, 144

**P**

Parole, 72, 83, 98-103, 118, 139, 157, 162, 166-171,
    172-174
    premiers mots, 72, 101-103, 109, 162, 173
    rétroaction, 101
Permanence de l'objet, 86-89,
    94, 96
Peur, 49, 59, 134
Piaget, Jean, 10, 138, 152
Pieds, 78
Pleurs, 40-51
    braillement, 48
    d'inconfort, 50
    de base, 46
    de douleur, 46, 47, 48
    emportement, 51
    geignement, 48
    gémissement, 49
    guide, 47-51
    hurlement, 47
    lamentation, 48
    pleur épuisé, 50
    pleur rythmique, 47
    sanglot sythmique, 51
    vagissement, 42

Porter, 42
Pronoms, 119, 123
Proprioception, 62, 63
Proto-conversations, 19, 150

**R**
Reconnaissance, 15, 21, 33
Réflexe de Babinski, 144
Réflexe de la marche, 76
Réflexe de Moro, 144
Réflexe de pas.
    *Voir* Réflexe de la marche.
Réflexes, 76, 144
Regarder, 27, 37, 170
Règle de trois, 42
Répétition, 72, 85, 162, 170, 171
Réponses apprises, 81
Répulsion, 61
Révolution des deux mois,
    39, 129
Révolution des neuf mois, 129
Risley, Todd, 167
Rochat, Philippe, 39, 65, 129
Roucoulades, 92, 98, 101
Rythme, 29, 83, 91, 100, 149, 167

**S**
Schéma stimulus-réponse, 94
Sécuritaire pour bébé
    *Voir* Dangers.
Se souvenir, 118
Siffler, 154
Solitude, 51
Son, 39
    localisation du, 28, 39
Sourires, 18-25
    calendrier, 25
    premiers, 19, 21
Stern, Daniel N., 94
Stimulation, 14
    *Voir* aussi Hyperstimulation.
Surdité, 101, 119, 121, 161
Surprise, 53, 58

**T**
Tape des mains (jeu), 88, 89
Taper des mains.
    *Voir* Tape des mains (jeu).
Technologie, 15, 16
Tentation, 128, 131
*The Scientist in the Crib*
    (Meltzoff, Gopnik et Kuhl), 13
Tomasello, Michael, 120
Toucher, 64
Trevarthen, Colwyn, 25, 27, 29, 181
Triades, 106

**V**
Variations culturelles, 100, 114, 121
Visages humains, 30, 31, 33, 35
Vision. *Voir* Vue.
Vocalisation. *Voir* Babillage.
    *Voir aussi* Parole.
Voix, 31, 82, 128, 167-170
Vue, 26-33, 36-38, 65
    à distance, 33, 36
    myope, 30, 120

**Y**
Yeux
    contact visuel, 26-33, 120, 139
    suivre le regard, 28, 36, 37